Como pregar um botão

ERIN BRIED

Como pregar um botão

e outras coisas úteis que sua avó sabia fazer

Um guia para economizar,

aquecer o coração e simplificar a vida

Tradução
Doralice Lima

Rio de Janeiro
2011

Copyright © 2010, Erin Bried

PROJETO GRÁFICO DE MIOLO
Abreu's System

CAPA
Miriam Lerner

REVISÃO DE TRADUÇÃO
Léa Maria Reis e Elisa Nogueira

Essa tradução foi publicada mediante acordo com a Ballantine Books, um selo da The Random House Publishing Group, divisão da Random House, Inc.

CIP-Brasil. Catalogação-na-fonte
Sindicato Nacional dos Editores de Livros, RJ

B863c Bried, Erind
Como pregar um botão : e outras coisas úteis que sua avó sabia fazer / Erin Bried; tradução Doralice Xavier Dias. - Rio de Janeiro : Record, 2011.

Tradução de: How to sew a button
ISBN 978-85-200-100-3-7

1. Economia doméstica. 2. Artesanato. I. Título.

10-5166.   CDD: 640
                            CDU: 64

EDITORA AFILIADA

Todos os direitos reservados. Proibida a reprodução, armazenamento ou transmissão de partes deste livro, através de quaisquer meios, sem prévia autorização por escrito.

Texto revisado segundo o novo Acordo Ortográfico da Língua Portuguesa.

Direitos desta edição adquiridos pela
EDITORA CIVILIZAÇÃO BRASILEIRA
Um selo da
EDITORA JOSÉ OLYMPIO LTDA.
Rua Argentina 171 – 20921-380 – Rio de Janeiro, RJ – Tel.: 2585-2000

Seja um leitor preferencial Record.
Cadastre-se e receba informações sobre nossos lançamentos e nossas promoções.

Atendimento e venda direta ao leitor:
mdireto@record.com br ou (21) 2585-2002

Para Noni, Vovó Shirley, Mommom,
Vovó Ro, Vovó Lou, Vovó Sarah
E TODAS AS AVÓS EM TODA PARTE

Sumário

Introdução   13

Conheça as avós   19

1 • Na cozinha

Comece o dia feliz: *Como preparar panquecas de mirtilo*   27

Cozinhe sem errar: *Como assar um frango inteiro*   29

Dê mais sabor à comida: *Como preparar molhos para assados*   33

Destrinche o problema: *Como fatiar um peru assado*   35

Pesque essa: *Como cortar filés de peixe*   37

Ponha a mão na massa e economize: *Como fazer pão*   40

Garanta um pedaço do céu: *Como fazer uma torta*   45

Beba saúde: *Como preparar vitamina de frutas ou legumes*   49

Aproveite o bacon: *Como usar banha para dar sabor*   51

Fique afiada: *Como amolar uma faca*   53

Encha o prato: *Como planejar o cardápio semanal*   56

2 • Na horta

Plante você mesma: *Como plantar uma horta*   61

Acabe com as pragas: *Como proteger naturalmente a horta contra insetos nocivos*   63

Afugente os bichinhos: *Como afugentar de sua horta os amigos peludos*   65

Confira o gramado: *Como afugentar uma cobra de sua horta*   67

Evite o desperdício: *Como preparar adubo composto* — 69
Tempere sua vida: *Como plantar na janela uma horta de temperos* — 72
Preserve o conhecimento: *Como desidratar maçãs* — 75
Conserve sua colheita: *Como fazer conservas de frutas e legumes* — 78
Adoce seu dia: *Como preparar (e conservar) geleia de morango* — 82
Compre produtos de sua região: *Como comprar na fazenda* — 86

3 • Na faxina

Acabe com as rugas: *Como dobrar um lençol com elástico* — 91
Tire uma soneca: *Como arrumar a cama* — 93
Poupe sua lingerie: *Como lavar manualmente as roupas delicadas* — 95
Aproveite o vento: *Como instalar um varal* — 97
Aqueça-se: *Como limpar o forno* — 99
Aumente seu brilho: *Como lavar a louça* — 101
Brilhe mais: *Como limpar o chão* — 103
Passe a limpo: *Como eliminar mofo* — 105
Pegue o queijo: *Como livrar a casa de camundongos* — 108
Areje seu lar: *Como fazer uma faxina geral* — 110
Limpe com naturalidade: *Como usar vinagre para limpar praticamente tudo* — 112
Limpe com mais naturalidade: *Como usar bicarbonato de sódio na limpeza doméstica* — 117

4 • No closet

Recupere sua camisa: *Como pregar um botão* — 123
Fique na medida: *Como fazer a bainha de suas calças sociais* — 126
Passe bem: *Como passar uma camisa a ferro* — 130

Sumário 9

Proteja seus dedinhos: *Como cerzir meias de lã*   132
Amarre-se: *Como usar um cachecol*   135
Use as mãos: *Como fazer um avental*   137
Melhore a emenda: *Como pregar um remendo*   140
Evite os impropérios: *Como remover a maioria das manchas*   143
Lustre sua imagem: *Como engraxar os sapatos*   146
Adote uma boa costura: *Como comprar roupas de qualidade*   148
Dê um rolé: *Como arrumar a mala*   150

5 • No ninho

Ponha lenha na fogueira: *Como acender o fogo*   155
Seja calorosa: *Como tecer um cachecol*   158
Junte os pedaços: *Como fazer uma colcha de retalhos*   162
Enquadre-se: *Como pendurar um quadro*   166
Procure conforto: *Como fazer um travesseiro*   169
Seja polida: *Como remover arranhões do assoalho*   171
Floresça!: *Como montar um arranjo de flores*   173
Use a imaginação: *Como decorar com flores prensadas*   176
Respire fundo: *Como perfumar a casa sem usar velas aromáticas*   178
Siga o fluxo: *Como desentupir o encanamento*   180
Ejete os dejetos: *Como desentupir o vaso sanitário*   182

6 • Na saúde e na beleza

Corte o resfriado: *Como preparar um grogue de chá quente*   187
Plante essa: *Como aliviar uma queimadura*   189
Acabe com a alergia: *Como evitar os espirros*   191
Fique em forma de graça: *Como montar um programa de caminhadas*   193

Ressalte seu brilho natural: *Como fazer uma limpeza facial* — 195
Tire o revestimento: *Como remover a maquiagem* — 197
Seja nota dez: *Como fazer as unhas* — 199
Alongue-se: *Como melhorar a postura* — 201
Conheça suas qualidades: *Como amar seu corpo como ele é* — 203
Renove-se: *Como ter uma boa noite de sono* — 205
Sinta-se invencível: *Como se proteger de perigos* — 207
Sinta-se encantadora: *Como aplicar um batom vermelho* — 209

7 • Em família

Acalme seu bebê: *Como enrolar um recém-nascido* — 213
Solte a imaginação: *Como fazer um brinquedo para o bebê* — 215
Induza bons sonhos: *Como ler uma história infantil* — 217
Espalhe amor: *Como preparar a merendeira* — 219
Estimule a responsabilidade: *Como delegar tarefas* — 221
Convide à ação: *Como formar um bom cidadão* — 223
Produza-o: *Como dar nó em uma gravata* — 225
Segure a onda: *Como ser uma boa parceira* — 227
Desperte o romance: *Como aproveitar uma noite em casa* — 229
Receba bem o seu querido: *Como ajudar a compensar um dia difícil* — 231

8 • Nas finanças

Conte os trocados: *Como controlar o orçamento* — 235
Acabe com as dívidas: *Como comprar sem usar o crédito* — 238
Equilibre as contas: *Como controlar seu balanço* — 240
Conte com um refresco: *Como economizar energia* — 242
Domine seus desejos: *Como fazer compras no supermercado* — 245

Sumário

Pechinche: *Como negociar um preço mais vantajoso* — 247
Fique atenta às pechinchas: *Como aproveitar as promoções* — 249
Ganhe uns trocados: *Como organizar um bazar em casa* — 251
Guarde para o futuro: *Como formar uma reserva para emergências* — 254
Viva uma vida mais rica: *Como compartilhar a sorte (mesmo em tempos difíceis)* — 256
Compre sem dinheiro: *Como fazer escambo* — 258

9 • Na comunidade

Pratique a boa vizinhança: *Como aproveitar a companhia dos vizinhos* — 263
Mantenha a paz: *Como lidar com um problema em sua vizinhança* — 266
Expanda seu círculo de amizades: *Como conquistar amigos* — 268
Convoque apoio: *Como pedir ajuda* — 270
Cultive a cultura: *Como formar um clube de leitura* — 272
Seja útil: *Como ser voluntária* — 275
Diga com um sorriso: *Como ganhar uma discussão totalmente sem sentido (falando pouco)* — 277
Faça-se ouvir: *Como dizer o que pensa numa reunião comunitária* — 279
Defenda seus direitos: *Como escrever uma carta para um governante* — 281

10 • Em sociedade

Melhore com a idade: *Como fazer vinho de dente-de-leão* — 285
Mate a sede: *Como fabricar a própria cerveja* — 287
Brinde à sua saúde: *Como preparar o coquetel perfeito* — 293

Sumário

Ponha sua marca: *Como enviar um convite*	295
Festeje: *Como promover um jantar a muitas mãos*	297
Seja sociável: *Como apresentar pessoas*	300
Manifeste gratidão: *Como escrever um bilhete de agradecimento*	302
Dê boas gargalhadas: *Como brincar de mímica*	304
Solte a voz: *Como cantar em harmonia*	308
Tire a carta da manga: *Como jogar oito maluco*	311
É preciso dançar: *Como dançar uma valsa básica*	313
Agradecimentos	315

Introdução

Há dez anos consegui o emprego dos meus sonhos na Condé Nast, uma editora de revistas de fama mundial. No primeiro dia de trabalho, cheguei à elegante sede da editora, então localizada na Madison Avenue, calçando escarpins azul-marinho e vestindo um *tailleur* do mesmo tom, o que, para alguém com 22 anos e originária da semirrural Pensilvânia, parecia alta-costura. Na qualidade de contratada temporária, meu trabalho era cobrir a ausência dos assistentes dos executivos ou dos editores de revistas como a *Vogue*, a *GQ* e a *Glamour*. Meu primeiro local de trabalho foi o escritório de um figurão. Quando, com as mãos trêmulas, atendi pela primeira vez o telefone dele, ouvi do outro lado da linha a voz de uma mulher com um forte sotaque somali:

— Aqui é Iman.

Ao longo do dia, me surpreendi dizendo coisas como: "A princesa Marie Chantal da Grécia está ao telefone" ou "Liz Smith pediu para você ligar para ela. Não disse de onde era". Depois do almoço, meu chefe teve o cabelo cortado por um cabeleireiro tão famoso que tinha a própria linha de xampus. Após o trabalho, ele foi fazer ginástica. Sei disso porque a primeira vez na vida que chamei uma limusine foi para levá-lo à academia. Assim começou minha vida em Nova York.

Agora sou redatora sênior da revista *Self* e todo mês minhas histórias são lidas por mais de 6 milhões de mulheres. Viajo pelo país inteiro, e às vezes para mais longe, entrevistando celebridades para as matérias de capa da revista. Em consequência disso, adquiri um conjunto de habilidades muito específicas: solicitar táxis e serviço de quarto. Nas sessões em que passo muitos dos meus dias, observando celebridades sendo fotografadas, sempre estão presentes serviços de bufê, estilistas, manicures e às vezes até alfaiates, dispostos a fazer uma bainha rápida ou pregar um botão que esteja caindo. Na estrada, parece que tudo na vida é feito por outras pessoas.

E então chego em casa.

Recentemente, convidei alguns amigos para jantar e decidi preparar como sobremesa algo muito especial: uma torta de morangos com ruibarbo. Depois de procurar ruibarbo em todas as quitandas do Brooklyn, fiquei muito feliz e aliviada quando finalmente encontrei um maço. Ele não parecia muito bom — era muito mais fino, vermelho e folhoso do que eu me lembrava. Apesar disso, achei que serviria. Não dá para errar quando se prepara uma torta. Em casa, segui cuidadosamente a receita. Cortei as folhas, piquei os talos, vermelhos e finos como um lápis, em pedacinhos que coloquei no recheio com açúcar, farinha e morangos picados. Depois de assar minha torta até ela ficar com um dourado perfeito, levei-a para a mesa. Meus amigos ficaram impressionados: "Quem faz tortas hoje em dia? Não tenho a menor ideia de como preparar uma torta!", confessou uma amiga.

Fiquei tão orgulhosa! Na verdade, fiquei radiante. Cada um deles provou um pedaço, e foi aí que os cumprimentos cessaram. Fez-se um silêncio desconfortável. Todos se entreolharam, mastigando em câmera lenta. Que reação mais estranha à minha sobremesa deliciosa, pensei. Então, provei a torta, esperando uma sensação agridoce e rosada. Em vez disso, experimentei um enorme amargor. O gosto lembrava o cheiro de grama recém-cortada. Mortificada, disse a meus amigos que parassem de comer. Era evidente que eu havia cometido um grande engano. Meus tolerantes convidados me submeteram a um interrogatório bem-intencionado e juntos descobrimos meu erro. Acontece que acidentalmente comprei acelga em vez de ruibarbo e preparei a torta com os talos, a parte da verdura que normalmente se joga fora.

Então, caí em mim: quando criança, costumava ajudar minha avó a colher ruibarbos na horta; agora, já adulta, não consigo sequer identificar essa verdura na quitanda. É engraçado, com certeza, mas também muito humilhante. Desde quando perdi a capacidade de cuidar de mim mesma?

Quanto mais penso na questão, mais percebo como deixei de ser autossuficiente: não lavo minhas roupas há tanto tempo que não me lembro mais como devem ser lavadas as peças coloridas. Se meu suéter fica cheio de bolinhas, eu me desfaço dele. Meu café da manhã em geral é uma barra de cereais. Meu jantar costuma sair de uma caixa de pizza. Já matei mais plantas do que gostaria de admitir. Nunca fiz o balanço do meu talão de cheques, muito menos elaborei um orçamento doméstico.

Na minha incompetência doméstica, o que me consola, mas também assusta, é o fato de eu não ser a única. Estou na companhia de milhões de mulheres das gerações X e Y que rejeitaram conscientemente as tarefas domésticas, preferindo fazer carreira, ou, o que é mais provável, apenas foram criadas na era da conveniência e do consumismo. Por que fazer eu mesma, pensamos, se posso pagar alguém para fazer por mim?

No entanto, isso começa a mudar.

Estamos passando pelo que, segundo os especialistas, é a pior crise econômica desde a Grande Depressão. De repente, o fato de não saber como preparar minhas refeições, cuidar da casa, passar minhas blusas, divertir a mim mesma (ei, existe TV a cabo!) não só me torna menos apta, mas também parece ser uma total falta de responsabilidade. Foi por essa razão que decidi tomar uma providência. E o primeiro passo para seguir em frente é olhar para trás.

Meu avô materno morreu em 1956, deixando minha falecida avó Hilda McFall sozinha para criar dois filhos. Sendo feminista e ativista, ela logo se tornou uma das primeiras mulheres eleitas para dirigir um município. Como pianista formada pela Juilliard School, ela complementava a renda dando aulas de piano e tocando no teatro. Minha avó mantinha a casa imaculada, com as camas feitas, o banheiro limpo e o gramado impecável. Em sua geladeira sempre havia uma jarra de chá gelado recém-preparado, e no forno sempre se encontrava alguma coisa deliciosa, como pastéis ou pães doces com açafrão e passas. Ela tinha amigas com quem jogava cartas até tarde da noite. Embora o dinheiro fosse curto, sempre conseguia dar a cada um dos cinco netos um dólar a cada visita e 50 dólares no Natal. Ela comprava produtos da própria região e caminhava sempre que possível, muito antes de o pensamento ecológico se tornar um conceito de marketing. Ela era forte e prudente. Acima de tudo, era feliz.

Hoje, ao lembrar a vida dela, fico realmente maravilhada e não consigo pensar em nenhum modelo melhor para esses tempos difíceis do que nossas avós, principalmente as que sobreviveram à Grande Depressão. Todas as avós têm histórias sobre as coisas engenhosas e muitas vezes surpreendentes que faziam para sobreviver. Para economizar, elas preparavam o próprio pão. Plantavam hortas para alimentar a família. Usavam muito as roupas, até que elas ficassem gastas. Cuidavam dos vizinhos e sabiam quando pedir ajuda. Conseguiam manter o clima de romance sem precisar frequentar restaurantes sofisticados.

Como as minhas avós já não estão vivas, procurei outras por todo o país, para ver o que podia aprender. Vamos falar mais sobre elas na próxima seção. Elas me ensinaram como ficar feliz com o que se tem, como ajudar os outros, como se divertir e até mesmo como se apaixonar. Quando ouvia cada uma delas, sabia que não estava aprendendo só uma sabedoria prática, como a melhor maneira de economizar, viver de forma ecológica e cuidar melhor de mim mesma e da minha família. Estava também coletando relatos importantes, alguns dos quais nunca haviam sido contados e que logo irão desaparecer. As histórias delas merecem ser lembradas.

Se você tiver a sorte de ter sua avó por perto, sente-se com ela e converse. Faça-lhe as perguntas importantes, como qual é o segredo de um casamento feliz. Pergunte também pequenas coisas, como o que ela fazia para se divertir, e ousadias, como se algum dia o pai dela fabricou bebidas na garagem de casa (e se ela tomou uma provinha). Pergunte-lhe como dava conta das coisas. Ou apenas lhe peça para contar uma história, qualquer história. Garanto que você irá se surpreender. Se não tiver mais sua avó por perto, espero que este livro traga o espírito dela para perto de você, oferecendo-lhe um estímulo caloroso e orientando-a gentilmente nas tarefas essenciais da vida que você talvez tenha esquecido ou jamais tenha aprendido. Espero que isso lhe traga calma, bem-estar e, acima de tudo, autoconfiança.

Conheça as avós

Tenho o maior prazer em apresentar-lhes essas dez avós maravilhosas que viveram durante a Grande Depressão e contribuíram para este livro com sua sabedoria e suas histórias.

Elouise Bruce

Nascida em 9 de fevereiro de 1929, Elouise enfrentou tempos difíceis nas colinas do Mississippi. Com a mãe, o pai e oito irmãos, ela morava em uma casa alugada numa fazenda onde eram cultivados algodão e milho. Enquanto o pai preparava a terra com um arado puxado por uma mula, Elouise e seus irmãos, a partir dos 8 anos, precisavam ajudar no sustento da família, colhendo e levando o algodão para ser descaroçado, inclusive nos dias de aula. Apesar de contar com uma força de trabalho de 11 pessoas, a família não tinha dinheiro. Eles comiam o que plantavam e consumiam alimentos frescos porque não tinham dinheiro para comprar uma geladeira e, às vezes, nem mesmo um bloco de gelo. Ela dividia uma cama de casal com três irmãs. Quando os calçados ficavam impossíveis de usar, as crianças andavam descalças. "Meu Deus, não gostaria de passar por isso de novo", afirma ela, que ainda sofre com essas lembranças. Graças à perseverança e a uma boa dose de bom humor, Elouise venceu as dificuldades, casou-se em 1940 e criou três filhos. Hoje, ela vive com o marido em Cleveland, Mississippi, orgulhosa dos sete netos (segundo ela, uma das netas inclusive é enfermeira anestesista) e dos cinco bisnetos.

Nikki Spanof Chrisanthon

Filha de imigrantes gregos, Nikki nasceu em 5 de fevereiro de 1925 e foi criada em Allentown, na Pensilvânia, onde o pai, um entusiasta do sapateado, tinha uma loja de doces e sorvetes. Quando veio a Depressão, o negócio foi prejudicado, e sua mãe foi trabalhar numa confecção. Para cobrir as despesas, Nikki e sua irmã mais velha tiveram que ajudar em casa, fazendo compras, cozinhando e limpando. Apesar dos tempos difíceis, ela guarda boas lembranças da infância: piqueniques no parque, cinema a 10 centavos e grandes festas de família que sempre incluíam danças e canções gregas. Ela vive com o marido, com quem está casada há 51 anos, em Ocean City, Nova Jersey, onde recebe com frequência a visita dos três filhos e dos seis netos.

Jean Dinsmore

Como o hospital da região estava fechado por causa da epidemia de gripe de 1918, Jean nasceu em casa, no dia 30 de dezembro daquele ano, em uma fazenda em Troy, Idaho. (Até hoje ela guarda a lâmpada a querosene que estava acesa na noite em que nasceu.) Jean aprendeu a cozinhar aos 10 anos, no fogão a lenha da família, para ajudar a alimentar o pai, os dois irmãos e os dez empregados da fazenda que trabalhavam na colheita no verão. Aos 12 anos, Jean e a irmã mais velha foram sozinhas para a cidade, a 25 quilômetros da fazenda, para estudar. A mãe dela sempre lhe dizia: "Não me importa quando você vai se casar, mas você tem que se formar na universidade." Ela se formou e se tornou professora antes de se casar com "um dos meninos das redondezas", em 1940. Os recém-casados se mudaram para Spokane, Washington, onde Jean vive até hoje, encantando os dois filhos e os cinco netos com as histórias da fazenda.

Grace Fortunato

Filha de imigrantes italianos, Grace nasceu em 29 de julho de 1930, no Brooklyn, em Nova York, onde também foi criada. Quando começou a Depressão, a família se mudou para um apartamento de dois quartos, nos fundos da barbearia do pai. Os dois irmãos de Grace compartilhavam um dos quartos. Ela, a irmã e os pais dividiam o outro. Todo dia, o pai preparava no forno a carvão pratos italianos tradicionais (quase sempre uma massa e legumes, seguidos de peixe). Grace mede 1,50m e pesa mais ou menos 50 quilos. Seu apelido é "Doçura". Ela ainda prepara em sua cozinha, em Plantsville, Connecticut, algumas das receitas favoritas da família para o marido, com quem é casada há 57 anos, e para os cinco filhos e três netos.

Lucile Frisbee

Lucile nasceu em 11 de janeiro de 1930 na idílica cidade de Delhi, no estado de Nova York, onde mora até hoje. O pai era o farmacêutico da cidade; a mãe trabalhava na farmácia e também era a bibliotecária municipal. A frugalidade e a parcimônia ajudaram a família a passar pela Depressão sem grande sofrimento. Lucile e as duas irmãs eram musicistas talentosas, conhecidas na cidade como o Trio Lee. De fato, as meninas muitas vezes saíam da escola para se apresentar diante de plateias da região, inclusive no clube Kiwanis e na fraternidade Eastern Star. Quando não estava praticando ao piano, Lucile jogava cartas e beisebol de rua, além de passar horas montando lindas cestas de maio (buquês de flores deixados anonimamente para um vizinho ou a pessoa amada no dia 1º de maio). Em 1955, ela se casou com um colega da escola. Quando não está ajudando o marido a preparar e vender calda de bordo,* ela compartilha seu amor pela música com os três filhos e os cinco netos.

---

* O *maple syrup*, uma calda muito popular no Canadá. (*N. da E.*)

Mildred Armstrong Kalish

Mildred nasceu em 17 de março de 1922 e foi criada em Iowa na fazenda dos avós, onde não havia água encanada nem eletricidade. Ela passou muitos dias de verão brincando com guaxinins, domando potros, encantando abelhas e, naturalmente, fazendo tarefas domésticas como escolher feijão, empilhar feno e reunir as vacas para a ordenha. Depois de terminar a faculdade e de passar um breve período trabalhando na Guarda Costeira, ela se casou, criou dois filhos e se tornou professora de inglês na Universidade de Iowa e em outras faculdades. Hoje, com o marido com quem está casada há 65 anos, Mildred vive em Cupertino, na Califórnia, onde escreve sobre sua infância. Seu livro de memórias, *Little Heathens*, foi considerado um dos dez melhores de 2007 pelo *New York Times*, o que com certeza deixou orgulhosos seus quatro netos e dois bisnetos.

Alice Loft

Alice nasceu em 26 de agosto de 1921 em Centralia, Washington. Na época, seu pai trabalhava para uma madeireira, enquanto a mãe cuidava dela e dos outros quatro filhos. Alice passou a maior parte da juventude na fazenda dos avós, onde aprendeu a plantar uma horta, fazer conservas, alimentar o fogo num fogão a lenha e colher ovos no galinheiro. Seu pão de ló, resultado direto de colher mais ovos do que se podia usar, uma vez lhe valeu um prêmio na feira local. Depois de casada, ela teve três filhos e abriu uma loja de presentes onde vendia artesanato feito de madeiras raras. Em 1970, depois da morte do marido, Alice foi trabalhar na estufa da família. Hoje, mora com Callie, sua gata, em Tacoma, Washington, onde ainda prepara bolos deliciosos para os sete netos e três bisnetos.

Beatrice Neidorf

Nascida na Filadélfia em 1º de junho de 1915, Beatrice era a mais nova de três filhos. Quando ocorreu a quebra da bolsa de Nova York, em 1929, ela estava na escola e trabalhava nos fins de semana em uma das seis lojas de artigos masculinos de propriedade do pai. Embora o dinheiro fosse curto, ela gostava de estar no comércio de roupas. O pai muitas vezes conseguia lindos vestidos para ela, inclusive um inesquecível vestido de festa azul-escuro com plumas nas costas que ela usou em um baile. Como sabia que o pai não tinha dinheiro para mandá-la para a universidade, depois de terminar o ensino médio Beatrice conseguiu um emprego no escritório de um leiloeiro. Trabalhou ali durante nove anos até conhecer o marido, um farmacêutico, e mudar-se para Washington, DC. Os dois foram felizes durante 52 anos. Quando não está fazendo trabalhos voluntários no Kennedy Center, ao qual dedica seu tempo há 29 anos, Beatrice prepara tortas para as três filhas, os quatro netos e os dois bisnetos.

Sue Westheimer Ransohoff

Nascida em 22 de dezembro de 1919, Sue tinha 9 anos quando ocorreu a quebra da bolsa. No dia 29 de outubro de 1929, ela estava fazendo planos para a festa do Dia das Bruxas no bairro de Baltimore, onde morava. Pretendia sair com o pai, um corretor de valores. "Ele não voltou para casa naquela noite", recorda. "Eu era muito pequena para entender as implicações. Só fiquei muito decepcionada." Como o pai tirou a maior parte de suas economias do mercado de ações antes da quebra da bolsa, a família continuou relativamente imune à Depressão, embora os vizinhos tenham sido forçados a trocar suas casas amplas por apartamentos menores. Ela recorda que "durante a maior parte da vida, teve vergonha de viver com tanto conforto". Contudo, tendo visto a fragilidade da riqueza, Sue, formada pelo Smith College, diz que foi marcada pela Grande Depressão. Depois de perder o primeiro marido na Segunda Guerra Mundial e casar-se posteriormente com um antigo namorado, ela se mudou para Cincinnati, onde sempre ganhou o próprio dinheiro (primeiro como assistente social e depois como escritora e publicitária em um museu) e ajudou os necessitados (como voluntária nas instituições Planned Parenthood — de planejamento familiar — e Hearing Speech and Deaf Center of Greater Cincinatti — de amparo aos deficientes auditivos). É reconhecida por dar grandes festas, frequentadas pelos quatro filhos, oito netos e um bisneto.

Ruth Rowen

Filha de imigrantes russos, Ruth nasceu na cidade de Nova York em 19 de abril de 1914. Ela passou a maior parte da infância no único edifício de apartamentos do Bronx. Naquela época, o bairro era principalmente um cenário pastoral de fazendas. Quando a mãe adoeceu, depois de dar à luz um menino, Ruth, então com 12 anos, assumiu as tarefas domésticas. "Foi quando amadureci", lembra ela, recordando os dias em que ia ao mercado e voltava para junto da cama da mãe, a quem pedia para "explicar como se prepara uma galinha". Felizmente, a mãe se recuperou, mas Ruth nunca esqueceu as lições aprendidas quando criança durante a Depressão: economizar, contentar-se com o que se tem e ser generosa. Em 1934, ela se casou e, muito contra a vontade dos sogros, começou uma carreira trabalhando na biblioteca pública de Nova York. Hoje, ainda vivendo em Nova York, ela compartilha seu amor pelos livros com a filha e a neta.

1
Na cozinha

*Cozinhar em casa é mais barato, mais saudável
e simplesmente melhor.*

Comece o dia feliz

"Penso que qualquer um que saiba ler pode aprender a cozinhar."

— Mildred Kalish

Como preparar panquecas de mirtilo

Passo 1   Se você tiver mirtilos em casa, provavelmente também terá tudo o mais de que precisa para preparar essas deliciosas panquecas para duas pessoas. Reúna os ingredientes: 1 ovo ligeiramente batido, 1 xícara de leite, 2 colheres de sopa de óleo de canola (ou manteiga derretida), 1 colher de sopa de açúcar, 1¼ xícara de farinha de trigo, 1/2 colher de chá de sal, 3 colheres de chá de fermento químico em pó e 3/4 de xícara de mirtilos frescos ou congelados.

Passo 2   Isso levou muito tempo? Nesse caso, saboreie uma xícara de café. Em seguida, usando uma batedeira elétrica ou manual, misture numa tigela grande o ovo, o leite, o óleo e o açúcar.

Passo 3   Com uma colher de pau, acrescente a farinha, o sal e o fermento. Não se preocupe com os bocados. Fica melhor se sobrarem alguns.

Passo 4 Ponha alguns mirtilos na boca e adicione o resto à massa.

Passo 5 Numa frigideira, coloque um pouco de manteiga (ou um fio de óleo) e deixe aquecer em fogo médio. Mesmo que esteja com muita fome, resista à tentação de aumentar o fogo, ou você terá panquecas queimadas por fora e cruas por dentro.

Passo 6 Com uma concha, despeje um pouco da massa no centro da frigideira para formar uma panqueca do tamanho desejado. Se as porções forem equivalentes a ¼ de xícara, a massa irá render 9 panquecas de um palmo de diâmetro.

Passo 7 Quando as bordas começarem a se soltar, enfie uma espátula embaixo da panqueca e vire-a. Evite jogá-la para cima, a não ser que o piso esteja muito limpo e não haja espectadores.

Passo 8 Quando os dois lados estiverem dourados, retire a panqueca do fogo, arrume-a num prato e sirva.

Mais Dicas Úteis

- Se for usar mirtilos congelados, descongele-os antes.
- Jogue algumas gotas de água na frigideira antes de colocar a massa. Se a água evaporar, a temperatura está correta. Senão, deixe a frigideira aquecer mais um pouco.
- Sirva com uma calda deliciosa!

Cozinhe sem errar

"Frango era um jantar especial, porque naquele tempo não comprávamos nenhum tipo de carne. Só pegávamos uma galinha no quintal, cortávamos a cabeça dela, preparávamos e comíamos. Na época, eu não tinha medo de matar a galinha, mas não gostaria de fazer isso hoje."

— Elouise Bruce

Como assar um frango inteiro

Passo 1   Vá até o açougue, a granja ou o supermercado mais próximo e compre a ave inteira. Você irá precisar de 350g por pessoa. Desarquive sua assadeira e ajuste o forno até chegar a 190°C. Então, fique em silêncio! Escute bem: seu estômago está roncando? Se estiver, faça um lanchinho. Leva mais de uma hora para assar um frango de aproximadamente 1,5kg.

Passo 2   Faça amizade com seu frango. Se estiver com nojo, só posso dizer uma coisa: supere! Você vai comer essa ave (e ela vai estar deliciosa), portanto, é melhor assumir a responsabilidade de prepará-la. Dê uma olhada dentro do frango. Se encontrar um saco com pedaços, retire-o. (São os miúdos, ou seja, o coração, o pescoço e o fígado de um frango qualquer, não necessariamente *o seu*. Você pode cozinhar os miúdos com água para fazer um caldo ou um molho ou pode simplesmente jogá-los fora.)

Passo 3 Por via das dúvidas, dê um banho no franguinho. Lave-o por dentro e por fora com água fria e seque-o com uma toalha de papel.

Passo 4 Prepare o tempero: misture a manteiga à temperatura ambiente (mais ou menos 1/2 ou 3/4 quartos de um tablete) com quantidades generosas de seus temperos e especiarias favoritos. Experimente usar de 4 a 6 dentes de alho picados, mais ou menos 5 raminhos de alecrim picados, além de sal e pimenta (1/2 colher de chá ou mais). Ou use alho picado, casca de limão, tomilho e estragão. Quanto de cada um? O suficiente. Basicamente, é só misturar tudo. Não tem erro.

Passo 5 Com os dedos (ou, se ainda estiver pouco à vontade, com uma colher), separe a pele da carne, tendo o cuidado para não rasgar nem furar a pele, para evitar que o frango fique ressecado. Quando tiver algum espaço de manobra, passe a mistura de manteiga entre a pele e a carne, tendo o cuidado de alcançar todos os cantinhos e dobras. Então, passe manteiga também por todo o exterior da ave para que ela fique bem dourada quando assar.

Passo 6 Tempere o lado de dentro do frango. Passe por dentro uma boa quantidade de sal e pimenta e acrescente alguns dentes inteiros de alho, o que sobrou dos temperos usados na mistura de manteiga (inclusive os galhinhos), e um limão cortado em quatro.

Passo 7 Coloque o frango na assadeira com o peito e as coxas para cima. Enfie as pontas das asas embaixo do corpo e, se quiser, junte as pernas e amarre-as com um barbante de uso culinário. Isso não é fundamental, mas dá mais elegância.

Passo 8 Leve a ave ao forno por uma hora e vá tomar uma taça de vinho ou uma caipirinha enquanto espera.

Passo 9 Dali a uma hora, confira o frango. Incline-o até que um pouco do suco escorra. Se o líquido estiver rosado, o frango ainda não está pronto. Se estiver transparente, enfie um termômetro de cozinha na parte mais gorda da coxa. O frango estará pronto quando a temperatura for de 75°C.

Passo 10 Deixe o frango descansar numa bandeja sobre a bancada da cozinha durante 10 minutos, para que ele fique bem suculento. (Se quiser preparar um molho, a hora é essa. Veja as instruções na página 33.)

Passo 11 Apresente o frango aos convidados, de preferência com grandes gestos. Curta as exclamações de admiração e depois saboreie a ave.

Mais Dicas Úteis

- Se possível, compre um frango orgânico, ou seja, que tenha sido criado solto e sem antibióticos, com uma alimentação orgânica e vegetariana. Ele ficará mais gostoso e atrairá para você um bom carma.
- Quando comprar um frango não congelado, verifique antes a data de validade e observe a quantidade de líquido na embalagem. Muito líquido significa que a ave ficou na prateleira um bom tempo.
- Para descongelar um frango, não retire a embalagem. Coloque-o numa bandeja e deixe-a na geladeira durante 24 horas, antes de assá-lo. *Não* o descongele sobre a bancada da cozinha para não ter sérios problemas com bactérias.

- Não tem uma assadeira? Compre uma assadeira descartável de alumínio, que é barata. Para dar-lhe estabilidade, leve-a ao forno em cima de uma forma de biscoitos.
- Se quiser uma opção mais saudável, não use manteiga. Apenas esfregue o frango com os temperos e especiarias e depois regue-o com azeite de oliva. Delícia!
- Sempre lave as mãos — atenção! — *com sabão* depois de manipular o frango cru.
- Depois de comer a ave, coloque a carcaça numa panela grande e cubra com água. Adicione algumas cebolas inteiras, pedaços de cenoura e de aipo, além de sal e pimenta. Deixe levantar fervura e cozinhe durante quatro horas. Remova a gordura da superfície, transfira o restante para embalagens que fechem a vácuo e guarde no freezer durante até três meses. Caldo de galinha feito em casa é mais saboroso do que qualquer caldo industrializado, e ainda é mais barato!

Dê mais sabor à comida

"Em nossa mesa, sempre tínhamos molho. Isso fazia parte da refeição. Uma batata não é nada sem um molho. Fica uma delícia."

— ALICE LOFT

Como preparar molhos para assados

Passo 1   Enquanto o assado que acabou de sair do forno descansa por 10 minutos na bandeja, despeje numa tigela o líquido que ficou na assadeira. Tome uma taça de vinho enquanto espera que a gordura suba para a superfície. Isso vai levar alguns minutos.

Passo 2   Com uma colher, remova delicadamente a gordura ou a camada gelatinosa da superfície, para que seu molho não fique gorduroso demais. Leve de volta para a assadeira o que sobrou na tigela.

Passo 3   Leve a assadeira ao fogo médio. Adicione 1 xícara de caldo de carne ou de galinha; com uma colher de madeira, raspe o fundo da assadeira para soltar os pedacinhos grudados. Deixe ferver.

Passo 4 Numa tigela à parte, prepare um espessante, misturando 2 colheres de sopa de farinha de trigo com 4 colheres de sopa de caldo. Misture energicamente com um batedor manual até dissolver completamente a farinha.

Passo 5 Despeje o espessante dentro da assadeira e bata com o batedor como nunca bateu antes. Continue a mexer até que o molho (e seus bíceps) esteja muito quente e na espessura que você gosta. Espesso demais? Acrescente mais caldo. Muito ralo? Prepare mais um pouco de espessante (uma parte de farinha e duas partes de caldo) e acrescente-o ao molho. Muito estresse? Tome outra taça de vinho.

Passo 6 Tempere o molho com sal e pimenta e despeje-o numa molheira bonita ou numa tigela velha e rachada. Esteja onde estiver, o molho sempre vai ter um sabor divino. Sirva.

Mais Dicas Úteis

- Para um molho mais cremoso, substitua metade do caldo por leite.
- Para aumentar a quantidade, adicione mais caldo no passo 3 e mais espessante no passo 4.
- Se tiver dificuldade para remover a gordura no passo 2, coloque o líquido no freezer por alguns minutos. A gordura irá congelar na superfície, ficando mais fácil de remover com uma colher.

Destrinche o problema

"As pessoas que adoram comer são os melhores cozinheiros."
— Grace Fortunato

Como fatiar um peru assado

Passo 1   Pegue a sua faca mais comprida e impressionante e amole-a (ver como na página 53). Quanto mais amolada a faca, menor a probabilidade de parecer que um homem das cavernas preparou o jantar.

Passo 2   Vire o peru com o peito para cima e as coxas em sua direção e corte os barbantes.

Passo 3   Remova as coxas. Com a faca paralela ao corpo da ave e com a lâmina para baixo, corte a pele que prende a perna ao corpo, continue a cortar para baixo a carne da coxa e finalmente corte a articulação, onde os ossos se encontram. (Não serre os ossos, Hannibal. Você fará uma bagunça. Use apenas a ponta da faca para cortar as articulações.) Coloque de lado a coxa e a sobrecoxa e repita a operação, a menos que tenha comprado um peru com uma perna só. (Nesse caso, espero que você tenha conseguido um desconto.)

Passo 4 Para prender a ave, espete na asa aquele garfo muito comprido, com dois dentes, que você provavelmente nunca usou e que veio com o faqueiro. Então coloque a faca numa posição paralela à superfície de trabalho. Faça um corte horizontal imediatamente acima da asa e abaixo do peito.

Passo 5 Espete o garfo em cima da ave, coloque a faca no meio do peito e corte para baixo até encontrar o corte horizontal, separando uma fatia. Coloque esse pedaço de carne numa bandeja e repita a operação, retalhando o peito em fatias finas.

Mais Dicas Úteis

- Deixe o peru descansar por 10 a 15 minutos antes de cortá-lo, para a ave não perder a umidade.
- Coloque uma toalha de papel dobrada entre o peru e a bandeja, para evitar que o bicho escorregue para os lados.
- Separar as coxas das sobrecoxas antes de servir evita brigas à mesa.
- Se alguém quiser as asas, corte-as nas articulações com uma tesoura própria.
- Guarde a carcaça para fazer um caldo. Veja as dicas na página 32.
- Se tiver alguma dúvida enquanto estiver cortando e sua avó não estiver por perto, acesse http://pt.wikihow.com/cortar_um_peru.

Pesque essa

"Não dá para pescar e esperar que outra pessoa limpe o peixe."
— NIKKI SPANOF CHRISANTHON

Como cortar filés de peixe

Passo 1   Se estiver um pouco enojada, respire fundo e saiba que o peixe já morreu e não é tão repulsivo quanto você imagina.

Passo 2   Deite o peixe de lado sobre uma tábua de cortar, com a barriga virada para o lado oposto, faça uma prece de agradecimento e pegue sua faca mais fina, amolada e comprida.

Passo 3   Suspenda a barbatana peitoral (aquela pequena, atrás das guelras), coloque a faca na posição perpendicular ao peixe, com a lâmina para baixo, faça uma careta dramática e corte para baixo até chegar na espinha (não passe daí). Ufa! Essa parte acabou. Bom trabalho.

Passo 4   Começando por trás da cabeça e usando apenas a ponta da faca, passe a lâmina ao longo do bordo superior do peixe, junto à barbatana dorsal, indo até a cauda, cortando ao longo das costelas (sem ultrapassá-las). À medida que a carne se separar do peixe, dobre-a para trás e repita esse corte delicado da cabeça à cauda, até que o filé inteiro seja cortado. Viu? Não foi tão ruim assim.

Passo 5   Vire o peixe e repita os passos 2 a 4 para cortar o segundo filé. Agora você já é profissional — e estamos quase acabando!

Passo 6   Inspecione cuidadosamente cada filé. Se houver alguma espinha, retire-a. Quando você achar que já removeu todas, passe os dedos sobre o filé para ter certeza de que não sobrou nenhuma, ou sua refeição pode ser mais memorável do que você espera (cof, cof).

Passo 7   Retire a pele: coloque cada filé sobre a tábua de cortar, com a pele para baixo. Segurando a faca com a lâmina em um ângulo de 45 graus, comece por uma ponta e corte através da carne até chegar na pele (sem cortá-la). Então, segurando com a unha a pele solta, coloque a faca na posição paralela à superfície de trabalho e corte delicadamente ao longo do filé. Tenha cuidado. Não force.

Passo 8   Lave os filés com água fria e frite-os!

Mais Dicas Úteis

- Se, em vez de pescar, você estiver comprando o peixe, dê uma olhada nas guelras. Se elas estiverem vermelhas, o peixe está fresco.

- Muito gosmento? Você sempre pode usar luvas.
- Depois de cortar os filés de peixe, esprema suco de limão sobre as mãos antes de lavá-las, para que fiquem com um cheiro agradável.

Ponha a mão na massa e economize

*"Eu me lembro de minha mãe assando pão.
Quando voltávamos da escola, o cheiro era mesmo
uma delícia. Eu adorava comer uma fatia com manteiga.
Minha irmã e eu gostávamos do bico do pão.
Ela pegava uma ponta e eu pegava a outra;
mas minha mãe acabou com essa festa."*

— Jean Dinsmore

Como fazer pão

Passo 1   Separe os ingredientes: 3 xícaras de farinha para pão, 3 xícaras de farinha de trigo integral, 3¾ xícaras de água morna, 2½ colheres de chá de sal e 1¼ colher de chá de fermento biológico seco. Você também irá precisar de duas formas de pão, um pouco de óleo ou manteiga e uma paciência de Jó. O melhor é arrumar alguma coisa produtiva para fazer, além de checar sua página do Facebook durante horas.

Passo 2   Numa tigela grande, coloque todos os ingredientes e misture-os com as mãos até formar uma massa esfiapada. Você saberá que está fazendo tudo certo se a sua mistura lembrar um tapete barato dos anos 1970. Não tenha medo de sujar as mãos!

Passo 3   Lave e enxugue as mãos e depois arregace as mangas. Você está se preparando para sovar a massa.

Passo 4   Espalhe um pouco de farinha de trigo sobre a bancada da cozinha (sem exagero!). Retire a massa da tigela com uma espátula ou um raspador de plástico e coloque-a sobre a bancada. Então, passe um pouco de farinha nas mãos.

Passo 5   Sove a massa, garota! Para isso, dobre a massa em sua direção. Com a base da palma da mão, pressione-a suavemente para longe de você. Gire a massa, fazendo um quarto de volta, e repita a operação até que ela comece a ficar lisa. Seja paciente: isso pode levar vários minutos. Quanto mais a massa for trabalhada, mais leve e fofinho ficará o pão. Se a massa começar a grudar nas mãos ou na bancada, pare de amassar, raspe-a com uma espátula e passe mais farinha na superfície de trabalho. Também limpe as mãos, esfregando-as vigorosamente, e depois passe nelas um pouco mais de farinha.

Passo 6   Agora começa a parte realmente divertida: bater a massa. Com as duas mãos, pegue a massa pela ponta mais próxima de você. Assegure-se de que ninguém está às suas costas e gire a massa para trás, por cima dos ombros, e arremesse-a sobre a bancada. Você saberá que fez o movimento certo se a massa ficar alongada e bater na bancada com o som agradável e engraçado de um tapa. Em seguida, dobre a massa ao meio e gire-a um quarto de volta. Alegremente, repita a sequência completa — lançamento, dobra, giro — durante vários minutos, até que a massa fique lisa e elástica e você fique estranhamente encalorada. A massa estará pronta se você puxá-la e ela se mostrar um pouco resistente, sem quebrar com facilidade.

Passo 7   Unte uma tigela grande e limpa com um pouquinho de manteiga ou óleo, coloque dentro sua massa e revolva-a algumas vezes para que todos os lados fiquem untados. Cubra a tigela com um filme plástico (nenhuma outra cobertura serve) e espere uma hora. Vá relaxar enquanto o fermento trabalha.

Passo 8 Depois desse tempo, volte à sua massa. Ela ainda não deve ter crescido muito, mas não se preocupe: ela vai crescer. Retire o filme plástico e modele a massa, formando um quadrado. Com as duas mãos, pegue um lado do quadrado, estique um pouco, dobre em direção ao centro e aperte um pouco. Gire a tigela em 90 graus e repita a operação com os outros três lados. Vire a massa de modo que a parte lisa fique para cima, torne a cobrir com filme plástico e espere mais uma hora. Vá relaxar mais um pouco.

Passo 9 Está na hora de dividir a massa. Enfarinhe a superfície da bancada. Usando a espátula ou o raspador, retire a massa da tigela e coloque-a sobre a superfície enfarinhada. Corte a massa ao meio, usando o raspador ou uma faca, e verifique se as duas partes têm o mesmo peso.

Passo 10 Faça uma bola com cada pedaço de massa, trazendo as pontas para o meio, como se estivesse fazendo uma bolsa com um pedaço de pano. Vire a massa e enfie as pontas para dentro, formando a bola. Deixe a massa sobre a bancada, cubra-a com filme plástico e marque 15 minutos. Enquanto isso, unte com óleo ou manteiga derretida duas formas de pão (12cm x 22cm), tendo o cuidado de revestir todos os cantos.

Passo 11 Modele a massa num formato que lembre uma bisnaga. Coloque um pouco de farinha sobre a massa e sobre a bancada. Usando o raspador, solte a massa da bancada e vire-a sobre a farinha, de modo que a parte de baixo fique para cima. Delicadamente, puxe as duas pontas da massa, para formar um retângulo, com o lado curto virado para você. Dobre os lados mais longos para dentro, apenas um pouquinho e aperte um pouco a massa. Segure o lado curto mais distante da massa com as duas mãos e dobre-o sobre o centro, selando-o com diversos tapinhas com a base da palma da mão. Repita a operação com a outra ponta da massa. Em seguida, coloque os dedos sob a ponta da massa e dobre a ponta até ¾ do pão. Aperte a costura com os dedos. Colocando os polegares sobre a costura que acabou de criar, dobre a parte de cima da massa para baixo mais uma vez, até que ela encontre a ponta de baixo. Aperte a costura com a base da palma da mão. Vire a massa com a costura para baixo. Se ela não estiver bastante comprida, role-a delicadamente com a palma das mãos até que tenha o comprimento da forma. Coloque a massa na forma com a costura para baixo e repita toda essa operação com a outra bola de massa. Cubra com filme plástico e preaqueça o forno a 240°C. Agora estamos chegando perto!

Passo 12 Uma hora depois, confira a massa para ver se está pronta para assar. Ela deve ter crescido até a borda da forma e deve estar leve e elástica. Se ainda não estiver pronta, faça hora por mais 30 minutos, enquanto a massa cresce. Se estiver pronta, coloque as formas no forno, deixando espaços iguais dos dois lados, e espere 20 minutos.

Passo 13 Depois que seu pão tiver assado durante 20 minutos, dê uma espiada nele. Gire as formas e verifique a cor do pão. Ele deve estar ficando dourado. Se estiver mais moreno do que você gosta, baixe a temperatura do forno para 200°C. Mesmo assim, deixe assar por mais 12 ou 15 minutos.

Passo 14 Retire do forno seus pães dourados e remova-os da forma. Bata com os nós dos dedos no fundo de cada pão. Se produzir um som oco, ele está pronto! Deixe esfriar em cima de uma grelha.

Passo 15 Agora, um teste de força de vontade: antes de cortar o pão, você precisa esperar pelo menos uma hora, para que a massa repouse e dissipe o gás carbônico do interior. Por enquanto, desfrute o perfume e comece a planejar com o que irá comê-lo. Manteiga é sempre uma boa opção!

Mais Dicas Úteis

- Meça o fermento e o sal sobre a pia, e não sobre a tigela, para não exagerar na quantidade por acidente.
- Não se estresse. Sovar a massa pede um pouco de prática, mas logo você encontrará seu ritmo. Além disso, a massa do pão é generosa: de um jeito ou de outro, você terá alguma coisa boa para comer.
- Se quiser um pão mais doce, acrescente uma xícara de nozes ou frutas secas (ou uma mistura dos dois), entre os passos 6 e 7. Estique a massa sobre a bancada, espalhe as frutas sobre ela e sove-a diversas vezes.
- Guarde o resto do fermento na geladeira e a farinha integral no freezer, para que se mantenham frescos. A farinha branca pode ser guardada na despensa.
- Se tiver uma pedra de assar pizza, coloque-a enquanto ele preaquece. Colocar as formas de pão para assar em cima da pedra deixará o pão mais leve.
- Para manter o pão fresco, guarde-o à temperatura ambiente ou envolva-o em filme plástico e congele-o por até três meses. Para descongelar, mantenha-o enrolado em plástico fora do freezer por diversas horas ou desenrole-o e coloque-o no forno a 220°C durante 5 minutos.

Garanta um pedaço do céu

"As pessoas têm medo de preparar massa de torta, mas isso não é tão difícil assim de fazer. E um bom recheio faz toda a diferença."

— Beatrice Neidorf

Como fazer uma torta

Passo 1   Preaqueça o forno a 220°C e prepare a massa: numa tigela grande, coloque 2 xícaras de farinha de trigo e 1 colher de chá de sal. Adicione 2/3 de xícara mais 2 colheres de sopa de óleo vegetal. Esquadrinhe a mistura com uma faca sem serra até obter grânulos do tamanho de uma ervilha. Regue com 1 colher de sopa de água gelada e misture com um garfo. Adicione mais 4 ou 5 colheres de sopa de água, uma de cada vez, e misture até que a massa adquira liga. Não amasse demais, para que não fique dura.

Passo 2   Divida a massa em duas bolas, envolva-a, em filme plástico, achate as bolas para formar dois discos e coloque-os na geladeira até gelar, ou seja, durante pelo menos 45 minutos.

Passo 3   Enquanto isso, prepare o recheio numa tigela grande.

Para torta de maçã: Descasque, retire os caroços e corte em fatias oito maçãs grandes. Misture-as com 1/3 de xícara de açúcar, 1/4 de xícara de farinha, 1/2 colher de chá de canela em pó, 1/2 colher de chá de noz-moscada ralada e uma pitada de sal.

Para torta de frutas silvestres: Misture 6 xícaras de frutas silvestres com 3/4 de xícara de açúcar, 1/2 xícara de farinha e o suco de 1 limão.

Para torta de morango e ruibarbo: misture 3 xícaras de ruibarbo picado (cuidado para não usar acelga!), 3 xícaras de morango, 2 xícaras de açúcar, 2/3 de xícara de farinha e a casca ralada de uma laranja.

Passo 4 Enfarinhe uma superfície de madeira limpa, coloque a massa no centro e, com um rolo de abrir massa bem enfarinhado, trabalhe do centro para as bordas até formar um círculo com diâmetro 10cm maior que o da sua forma de torta. Suspenda e vire a massa cada vez que passar o rolo, para que fique com uma espessura regular e não grude na superfície de trabalho.

Passo 5 Transfira a massa para a forma. Essa é a parte mais difícil, mas saiba que, se a massa rasgar, é fácil consertá-la, portanto não há por que se estressar! Está se sentindo feliz e relaxada? Ótimo. Dobre delicadamente a massa ao meio e depois em quartos; pegue-a com uma espátula, coloque-a na forma e desdobre-a. Afaste-se um pouco e admire sua obra de arte. Comemore com uma expressão vitoriosa!

Passo 6 Encha a torta com o recheio delicioso que tiver preparado e coloque pedacinhos de manteiga sobre ela.

Passo 7 Abra da mesma maneira a massa para cobrir a torta. Então, umedeça as bordas da torta com água ou leite e coloque a tampa sobre ela.

Passo 8 Com um par de tesouras ou uma faca, corte o excesso de massa das duas bordas, deixando uns 2cm de sobra em todo diâmetro.

Passo 9 Enrole juntas as bordas da base e da tampa da torta e enfie-as para dentro da forma. Faça ondulações nas bordas, apertando a massa entre as articulações do polegar e do indicador da mão direita e o indicador da mão esquerda. Uma vez que você tenha feito isso em torno de toda a torta, e ela tenha ficado maravilhosa, comemore novamente, dessa vez com entusiasmo!

Passo 10 Com uma faca afiada, abra quatro buracos pequenos no centro da torta, para que o vapor possa sair. Se você fizer essas "chaminés" em formato de gotas, todos ficarão impressionados. Então, pincele a tampa com leite para que, ao assar, ela fique dourada.

Passo 11 Leve cuidadosamente a torta ao forno e asse-a durante 40 a 45 minutos. (A torta de ruibarbo com morangos leva 55 minutos.) Quando ela estiver dourada, retire-a do forno e deixe-a esfriar em cima de uma grelha por tanto tempo quanto for capaz de esperar. Então apresente sua criação com outra expressão vitoriosa!

Mais Dicas Úteis

- Se estiver com medo de a massa da torta grudar na superfície de trabalho, abra-a entre duas folhas de papel-manteiga.

- Se a massa rasgar, conserte-a colocando em cima do rasgão algumas gotas de água ou leite e um pouco mais de massa.
- Cubra as bordas da torta com papel-alumínio antes de assar (ou use um aro de proteção), para evitar que as bordas fiquem queimadas. Remova a proteção 10 minutos antes de terminar de assar.
- Para evitar que o fundo da torta fique encharcado, pincele-o com um ovo batido antes de colocar o recheio.
- Não tem óleo vegetal? Prepare a massa com manteiga. Vai ficar deliciosa, apenas um pouco menos folheada.
- Não jogue fora os restos de massa. Faça uma bola com eles, abra com um rolo, polvilhe com canela e açúcar, corte em losangos (ou o formato que seu coração preferir) e asse. Humm! Aperitivos de torta!

Beba saúde

"Tínhamos orgulho de nossa economia doméstica. Nunca jogávamos nada fora."

— Ruth Rowen

Como preparar vitamina de frutas ou legumes

Passo 1   Dê uma olhada na geladeira e pegue todas as frutas e os legumes que pareçam estar no ponto de consumo imediato, com risco de perda. Confira também sua horta, para ver se alguma hortaliça está quase madura demais.

Passo 2   Escolha o sabor. Maçãs e peras podem adoçar cenoura, espinafre, aipo e salsinha. Tomates e pepinos combinam bem. Em geral, todas as frutas se misturam bem umas com as outras. Hummm! Hortelã é um complemento inigualável para uma vitamina de melão.

Passo 3   Descasque e corte em pedaços pequenos o que você escolheu. Coloque seus achados no liquidificador.

Passo 4   Acrescente um pouco de suco de maçã ou de laranja e bata. Repita a operação até alcançar a consistência desejada.

Passo 5   Inclua de 2 a 4 cubos de gelo e bata bem para moê-los.

Passo 6   Prove o sabor e tempere a gosto. Para adoçar vitaminas de frutas, use mel. Para dar tempero a sucos saborosos, acrescente pimenta vermelha, molho inglês, um pouco de suco de limão, sal e pimenta preta.

Mais Dicas Úteis

- Em vitaminas de frutas, em vez de cubos de gelo, use frutas silvestres congeladas.
- Para uma vitamina mais cremosa, acrescente uma concha de iogurte.
- Mesmo que sua bebida fique verde e parecida com a espuma da superfície de uma poça, feche os olhos e vire o copo! Ela estará cheia de vitaminas e deixará você mais forte.

Aproveite o bacon

"Na fazenda, preparávamos o café da manhã às 6 horas. Durante a colheita, tínhamos dez empregados temporários, portanto era preciso preparar ovos, bacon e todas aquelas gostosas comidas pesadas. Tínhamos que encher a barriga de todos aqueles homens!"

— Jean Dinsmore

Como usar banha para dar sabor

Passo 1   Frite um pouco de bacon e, se não estiver de dieta, coma-o no café da manhã. Podemos garantir que essa é uma maneira deliciosa de começar o dia — principalmente se você conseguir que outra pessoa frite o bacon para você! (Para isso, abra este livro nas páginas 229-230 e deixe-o num local visível, onde seu amor possa encontrá-lo.)

Passo 2   Depois de comer, enquanto a gordura que sobrou da fritura do bacon ainda está líquida, mas já não está muito quente, despeje-a através de um coador em um vidro de geleia ou lata de café bem lavados e guarde-a na geladeira ou no freezer.

Passo 3   Use a gordura reservada para substituir a manteiga ou a banha e dar sabor a pratos deliciosos como ovos mexidos, batatas fritas, feijão ou pães.

Mais Dicas Úteis

- Não tem um coador? Coloque uma toalha de papel sobre o recipiente e despeje a gordura através dela.
- Para manter o coração saudável, use a gordura com moderação.
- Não despeje gordura quente num recipiente de vidro, pois ele pode se quebrar. Deixe-a esfriar um pouco antes de transferi-la. (Se for guardá-la em recipiente de metal, pode transferi-la a qualquer momento.)

Fique afiada

"O amolador de facas vinha numa carroça com um cavalo. Nós o ouvíamos e saíamos com todas as facas que precisassem de fio. Era quase de graça."

— Grace Fortunato

Como amolar uma faca

Passo 1 Com uma toalha seca, limpe a chaira — aquele bastão de aço longo e áspero que veio com seu jogo de facas. Você queria saber para que ele servia, não é mesmo? Bem, hoje é seu dia de sorte. Você vai descobrir.

Passo 2 Segure o cabo da chaira com sua mão menos habilidosa; apoie a ponta da haste na bancada da cozinha ou em outra superfície plana. Segure-a com firmeza.

Passo 3 Com sua mão de maior firmeza, segure a faca como se fosse cortar um tomate (isto é, paralela à superfície de trabalho, com o gume para baixo e a ponta virada para longe de você). Mantendo a faca nessa mesma posição, apoie o gume da lâmina (no ponto mais próximo do cabo da faca) de lado, contra a parte de cima da chaira (imediatamente abaixo do cabo). Agora, gire a mão que segura a faca em 45 graus (se você for destra, gire na direção horária; se for canhota, na direção contrária), de modo que o lado afiado da faca faça com a chaira um ângulo de aproximadamente 20 graus. (O gume da faca deve estar virado para baixo.) É provável que você já tenha ouvido isso antes, mas vale a pena repetir: jamais aponte uma faca afiada em sua direção.

Passo 4 Puxando a faca em sua direção e mantendo o ângulo de 20 graus, deslize o gume da lâmina do topo até a ponta da chaira. Você saberá que fez o movimento correto se ele terminar com a ponta da faca saindo na ponta da chaira.

Passo 5 Troque de lado e repita a operação. Coloque a faca no lado oposto da chaira, imediatamente abaixo do cabo. Encontre o mesmo ângulo de 20 graus, girando a mão que segura a faca em 45 graus (na direção anti-horária, se você for destra; na direção dos ponteiros do relógio, se for canhota) e puxe a faca.

Passo 6 Repita mais quatro vezes os passos 4 e 5.

Passo 7 Limpe a lâmina da faca com uma toalha para remover resíduos de aço e teste o fio, cortando a borda de uma folha de papel. Se o corte for fácil, a faca estará pronta para usar. Se não, repita o passo 6 e teste novamente.

Passo 8 Conte seus dedos. Estão todos aí? Então a operação foi um sucesso!

Mais Dicas Úteis

- Outra forma de encontrar um ângulo próximo de 20 graus: segure a lâmina na posição perpendicular à chaira, ou seja, a

90 graus. Gire a lâmina com o gume para baixo, para reduzir esse ângulo à metade (45 graus). Faça isso mais uma vez, para fazer um ângulo de 22,5 graus.
- Não se preocupe demais com o ângulo. Qualquer coisa inferior a 45 graus servirá, desde que você use sempre a mesma inclinação.
- Amole a faca sempre que for usá-la, para facilitar (e tornar mais seguro) o trabalho de fatiar e cortar.
- Se sua faca for grande, parabéns! Deslize a mão sobre o cabo da faca até que somente a parte carnuda do polegar esteja apoiada no cabo e os dedos estejam segurando os lados cegos da lâmina. Isso deve dar-lhe mais controle.
- Faça tudo com calma! A velocidade com que você afia a faca não influencia o resultado.

Encha o prato

"Sabíamos o que íamos comer dependendo do que estivesse à venda."

— Ruth Rowen

Como planejar o cardápio semanal

Passo 1 Não se preocupe. O café da manhã é fácil de planejar. O almoço não é um grande problema. E planejar o jantar previamente irá poupá-la de correr para o mercado depois de um longo dia de trabalho e fazer compras quando está com tanta fome que nem consegue pensar direito. Pegue um pedaço de papel (não o coma!) e escreva no alto da folha todos os dias da semana.

Passo 2 Confira sua agenda para a semana. Para os dias de trabalho, planeje jantares simples, como uma massa. Nos dias de folga, tente alguma coisa mais ousada. Anote isso em seu planejamento.

Passo 3 Faça uma vistoria em sua cozinha. Dê uma olhada na geladeira e na despensa para ver se você tem algum ingrediente que precise usar imediatamente. Se tiver uma horta, vá até lá e veja o que está maduro.

Passo 4 Leve em consideração a estação do ano. Se você não tiver a própria horta, lembre-se de que as hortaliças recém-colhidas são mais saborosas, mais baratas e ajudam a sustentar os fazendeiros de sua região (e o meio ambiente). Honestamente, você consegue imaginar alguma coisa melhor do que um tomate plantado nas redondezas, bem fresquinho? Inclua em sua lista de compras todos os legumes e verduras que estejam na safra.

Passo 5 Verifique as ofertas. Procure promoções no jornal e em folhetos de supermercados e planeje suas refeições com base neles. Se nessa semana o frango estiver barato, inclua-o em um jantar ou dois. Se a carne estiver em oferta, pense em preparar um hambúrguer ou um bife.

Passo 6 Considerando todas essas questões, anote os sete jantares que idealizou. Se precisar de sugestões, folheie seu livro de receitas, procure na Internet ou peça a uma amiga a receita favorita dela.

Passo 7 Veja quais são os ingredientes necessários para cada refeição e anote-os em sua lista de compras.

Passo 8 Vá às compras sentindo-se bem porque sabe que vai economizar tempo e dinheiro!

Mais Dicas Úteis

- Prepare seu cardápio quando estiver com o estômago cheio e terá menos probabilidade de planejar jantares como "Noite dos biscoitos" ou "Pão recheado com macarrão".
- O jantar deve ter mais ou menos 500 calorias, portanto não se sinta obrigada a preparar toda noite uma refeição sofisticada. Alimentos leves são suficientes.

- Experimente usar a maior quantidade possível de alimentos integrais. O que não saiu do chão ou de uma árvore provavelmente não faz bem à saúde.
- Faça de cada prato um arco-íris. Quanto mais colorida (naturalmente) for a refeição, maior a probabilidade de que você esteja ingerindo vitaminas.

2

Na horta

Os preços dos alimentos estão aumentando e a segurança alimentar está ameaçada, mas os produtos de sua horta são orgânicos e gratuitos. Não há local mais próximo que seu próprio quintal.

Plante você mesma

"Dava um prazer imenso ir para a horta com uma bacia e uma faca de cortar legumes para colher feijão."
— Mildred Kalish

Como plantar uma horta

Passo 1   Escolha um local. Qualquer lugar ensolarado (pelo menos seis horas de sol por dia) e com boa drenagem servirá; pode ser um pedaço do quintal, uma jardineira na varanda ou na janela, ou ainda um simples vaso. Uma horta é uma horta, seja de que tamanho for. Tenha orgulho da sua.

Passo 2   Planeje o que vai plantar. Com base no clima, na disponibilidade de tempo, nas ferramentas de que dispõe e nas suas papilas gustativas, escolha que hortaliças gostaria de plantar e compre as sementes num horto, supermercado ou loja de ferragens. Não tenha medo de pedir conselhos a seu vizinho ou a um cultivador da região. Lembre-se, você conseguirá colher muito mais em uma horta pequena e bem-cuidada do que em uma maior e impossível de administrar, portanto seja honesta consigo mesma quanto ao que consegue cuidar.

Passo 3   Prepare o solo. Com uma pá, escave a terra até uma profundidade de 18cm a 25cm. Revire a terra até que ela esteja macia e solta, removendo torrões, grama, pedras e ervas daninhas. Não tenha medo de suar. Com a pele brilhante e pequenas manchas de terra nas bochechas, você vai ficar com uma aparência quentíssima (no bom sentido). Misture adubo composto (ver página 69), se tiver algum.

Passo 4   Plante as sementes de acordo com as instruções no verso dos pacotes. A profundidade (em geral um buraco feito com um dedo) e a distância entre as sementes (de 15cm a 30cm) são fundamentais para se ter plantas saudáveis. Identifique cada carreira com uma estaca de madeira (ou mesmo um simples palito de picolé), marcado com o nome da hortaliça.

Passo 5   Regue a horta uma vez por semana (ela precisa de mais ou menos 2,5cm de água) no início da manhã, antes que a temperatura comece a subir, e veja as plantas crescerem!

Mais Dicas Úteis

- Quando for trabalhar na horta, não se esqueça de usar um chapéu e um protetor solar, mesmo nos dias nublados.
- Arranque com frequência as ervas daninhas (pela raiz). As hortas não são como os cabelos punk, os quais quanto mais desgrenhados melhor. Se forem malcuidadas, as hortaliças perderão nutrientes, luz e água.
- Para aprender mais sobre jardinagem, visite a página www.jardineiro.net

Acabe com as pragas

"Era preciso ter uma horta. Não tínhamos escolha. Eu me lembro de engatinhar sobre as mãos e os joelhos pelas fileiras para podar as cenouras. Era um trabalho pesado, mas eu gostava de fazê-lo. Dava muita satisfação quando terminava."

— Jean Dinsmore

Como proteger naturalmente a horta contra insetos nocivos

Passo 1 Plante com bom-senso. Escolha as hortaliças que crescem bem em sua região. Quanto mais fortes e saudáveis, mais suas plantas serão capazes de resistir às pragas. Também faça anualmente a rotação das colheitas. Os insetos podem ser uns danadinhos preguiçosos, portanto, se você afastar os alimentos favoritos alguns centímetros para o lado, eles talvez não se esforcem para segui-los. No entanto, lembre-se de que eles também não são exigentes: comem qualquer vegetal da mesma família, portanto não troque ervilha por feijão-preto ou brócolis por couve-flor. Misture realmente as hortaliças.

Passo 2 Produza interferência. Plante tagetes,* atanásia, tomilho, aneto, erva-cidreira ou alho (ou *qualquer* flor ou legume

---

* Tagete é uma planta cujas folhas e flores trituradas são um excelente inseticida. (*N. da E.*)

não aparentado) entre as variedades de hortaliças. Essa barreira de plantas não só desestimula os insetos de comerem toda a carreira mas também atrai as providenciais joaninhas, que se alimentam dos hóspedes gulosos.

Passo 3 Visite a horta diariamente e faça uma boa inspeção. Se encontrar algum inseto faminto detonando suas plantas, respire fundo e mande-o para a Terra do Nunca. Esprema-o, pise nele ou jogue-o num balde com água e sabão. Parece desagradável, possivelmente até cruel, mas lembre-se: sua responsabilidade é alimentar sua família e não as pragas indesejáveis. Você é o pesticida mais rápido, eficaz e natural do mercado.

Passo 4 Instale armadilhas. Deixe ao lado de sua horta um jornal enrolado para atrair lacrainhas e uma tábua no chão para atrair lesmas. (Não tem uma tábua? As lesmas, essas beberronas gosmentas, também mergulham de cabeça numa tampa com cerveja.) Verifique as armadilhas uma vez por dia e jogue as pragas num balde com água e sabão, dando uma risada maníaca: uá-rá-rá!

Mais Dicas Úteis

- Mantenha sua horta limpa. Jogue imediatamente caules, hastes ou restos de plantas na composteira, para evitar que os insetos se alojem neles.
- Lave as plantas com água; às vezes um jato de água basta para remover de uma vez por todas os pulgões e outras pragas.
- Para pegar insetos voadores, borrife-os com água e sabão. Eles vão reduzir a velocidade e você poderá apanhá-los e jogá-los em seu balde.

Afugente os bichinhos

"Alguns roedores, como os esquilos, são bonitinhos, mas... nossa! Eles podem fazer um tremendo estrago!"

— Beatrice Neidorf

Como afugentar de sua horta os amigos peludos

Passo 1 Identifique seus hóspedes indesejáveis. Fique de tocaia, sentando-se bem quieta em um lugar de onde possa ver a horta (o uso de camuflagem não é necessário, mas é extremamente divertido e estiloso) ou mais longe, com um par de binóculos. Torne a conferir a horta à noite, usando uma lanterna para iluminar os canteiros. Se pegar coelhos, esquilos ou qualquer animal fazendo sua horta de bufê, avance para o passo 2.

Passo 2 Ponha em fuga as criaturinhas. Deixe seus legumes menos gostosos (para eles, não para você) com um spray de pimenta, que em geral é ardido demais para o paladar dos animais (ou dos insetos). Compre ou prepare seu próprio spray de pimenta colocando no liquidificador algumas pimentas-malagueta com duas xícaras de água. Bata bem durante dois minutos. Coe o líquido através de uma gaze, coloque-o em um borrifador e complete com água. Agite-o e borrife as plantas uma vez por semana. (Não borrife as frutas, que podem ficar com sabor levemente apimentado.) Outra opção: espalhe bolinhas de naftalina em todo o perímetro da horta. Veja o que dá mais resultado ou alterne as duas soluções.

Passo 3 Distraia aquelas coisas peludas. Instale a alguma distância da horta um ponto de alimentação, como um comedouro para aves, para atrair a atenção dos animais para longe de sua colheita.

Passo 4 Monte uma barreira. Experimente colocar uma cerca de 60cm de altura em torno da horta ou instalar gaiolas individuais em torno de cada planta. Se você acabou de semear, pode até mesmo colocar tela de galinheiro diretamente sobre o solo.

Mais Dicas Úteis

- Torne seu quintal menos atraente para criaturas famintas tampando a lata de lixo e mantendo a área livre de entulho.
- Não tem pimenta-malagueta em casa? Tente bater no liquidificador um dente de alho, uma cebola pequena e uma colher de chá de pimenta-de-caiena com água. Coe, adicione água e borrife as plantas.
- Se tiver hóspedes que cavam túneis, como roedores, pode ser preciso enterrar sua cerca até uns 30cm de profundidade. Com o tempo, eles desistirão e irão embora.

Confira o gramado

"Toda horta precisa de uma cerca, porque todo tipo de bicho come as hortaliças. Coelhos, esquilos, carneiros. As galinhas conseguem reduzir a nada um canteiro de alfaces. Se uma vaca entrar na horta, é capaz de acabar com ela."

— Mildred Kalish

Como afugentar uma cobra de sua horta

Passo 1 Se você avistar uma cobra em seu canteiro, controle-se imediatamente. Se estiver a alguma distância, continue longe dela. Se não, caso a cobra esteja chocalhando, silvando ou encarando você, vire uma estátua até que ela se afaste. (E ela irá se afastar, desde que tenha uma saída viável. Ela tem mais medo de você do que você dela.) Então, solte o ar, corra para dentro, tome uma caipirinha, conte a todos os seus amigos como é corajosa e vá para o passo 4.

Passo 2 Se estiver a uma distância segura e tiver cem por cento de confiança em sua capacidade de classificar as cobras de sua área, identifique sua hóspede rastejante. Se for venenosa e tiver se instalado de forma permanente em sua horta, chame um especialista para removê-la. Se for venenosa e estiver somente de passagem, espere que ela vá embora e siga para o passo 4. Se não for venenosa, prossiga para o passo 3. Se você não tiver a menor ideia de que tipo de cobra é aquela, mantenha distância, espere que ela vá embora e prossiga para o passo 4.

Passo 3   Decida o que quer fazer. Alguns cultivadores gostam de manter por perto serpentes não venenosas porque elas não comem legumes nem pessoas, mas comem pragas como ratos, lesmas e lacrainhas. Se a ideia não for do seu agrado e você preferir que a cobra não venenosa encontre outro lar, pegue uma vassoura e expulse-a.

Passo 4   Diminua a probabilidade de que a serpente volte, fazendo seu gramado e sua horta menos interessantes como lugares para ela viver. Mantenha a grama curta, as cercas vivas aparadas e os galhos mais baixos das árvores longe do chão. Elimine também as folhas soltas de sob as árvores e as pilhas de pedras e de madeira (depois de verificar se não estão abrigando cobras!). Tudo isso é excelente como casa para as cobras e para seus alimentos favoritos (roedores). Se esses abrigos desaparecerem, é provável que sua cobra também desapareça.

Mais Dicas Úteis

- Quando trabalhar na horta, use botas de borracha até os joelhos para proteger os tornozelos (ou pelo menos para dar-lhe uma sensação de segurança elegante).
- Tenha um gato. Os bons gatos caçam ou afugentam as cobras.
- Conheça os procedimentos de primeiros socorros para sua região. Se você mora num lugar onde há cobras venenosas, fique alerta; proteja-se e proteja seus animais de estimação. Mantenha um kit de soro antiofídico junto à porta de trás de sua casa.

Evite o desperdício

"Não me lembro de jamais ter jogado fora alguma coisa. Onde morávamos, não tínhamos nem mesmo serviço de coleta de lixo. Os restos de comida eram usados para alimentar as galinhas ou os gatos e outros animais domésticos. Todos os outros restos eram usados para adubar a horta."

— Alice Loft

Como preparar adubo composto

Passo 1 Faça uma composteira. Pegue uma lixeira de plástico ou alumínio (com tampa) e faça furos de 0,5cm de diâmetro, a intervalos de 10cm a 15cm, em toda a volta e no fundo, para que o adubo composto possa respirar. Se não tiver furadeira, faça os furos com um prego grande e um martelo. (Não faça furos na tampa — ou em seu nariz, suas orelhas e seu umbigo, a menos que essa seja a sua praia.)

Passo 2 Comece o processo. Praticamente tudo o que é natural pode ser classificado nas categorias "marrom" e "verde". Para que a compostagem aconteça, você vai precisar das duas cores. Três partes de marrom para uma parte de verde é uma boa proporção. Portanto, comece a encher a composteira com "marrons", ou seja, com material rico em carbono como folhas secas (de preferência picadas), gravetos, serragem de madeira sólida sem tratamento (madeira compensada não serve), jornais, folhetos de propaganda e papelão (de preferência rasgados ou picotados).

Passo 3 Umedeça a mistura. Coloque água suficiente para que o conteúdo fique na consistência de uma esponja espremida.

Passo 4 Ative a mistura. Jogue dentro os "verdes", o material rico em nitrogênio, que inclui: cascas e restos de frutas ou legumes e folhas verdes, saquinhos de chá, pó de café e filtros de café, ervas daninhas e aparas de grama. Nunca adicione: carne, ossos, peixe, óleo, laticínios, grãos, feijões, pão ou plantas com doenças.

Passo 5 Proteja o processo. Cubra os verdes com mais marrons para que a composteira funcione da forma adequada e tenha um cheiro agradável. Coloque a tampa. Continue a alimentar a composteira, adicionado camadas com uma parte de verdes para três partes de marrons, sempre que quiser. Nunca foi tão divertido fazer sujeira!

Passo 6 Uma vez por mês, revolva a pilha com um ancinho ou com uma vara grande e espere seis meses para que o adubo composto se forme no fundo do barril. Você saberá que está pronto quando ele parecer nutritivo, escuro e esfarelado (bem diferente daquilo que você colocou na composteira) e tiver cheiro de terra.

Passo 7 Colha o adubo composto, virando a composteira. Raspe o material escuro e nutritivo do fundo e espalhe-o em sua horta e embaixo das plantas e árvores. É o melhor fertilizante do mundo! Além disso, ele economiza dinheiro, água e livra a terra de muito lixo. Depois que terminar de se sentir íntegra (merecidamente), devolva os restos que ainda não estão prontos para a composteira, tampe-a novamente e continue a alimentá-la.

Mais Dicas Úteis

- Você também pode comprar uma composteira pronta numa loja de jardinagem próxima de sua casa ou pela Internet.
- Para maior facilidade ao misturar, você pode deitar a composteira e rolá-la sobre os lados, desde que a tampa não saia com facilidade.
- Economize algumas viagens até a composteira guardando os restos da cozinha numa tigela na geladeira ou numa embalagem plástica a vácuo no freezer. Quando o recipiente estiver cheio, leve-o até sua fábrica de adubo.
- Se você não estiver conseguindo um adubo bastante fértil, talvez sua mistura esteja muito seca (adicione mais água) ou muito marrom (adicione mais verdes e misture).
- Se a mistura ficar com mau cheiro ou aparecerem moscas, você deve estar usando muita água ou muitos verdes (coloque marrons e misture), ou talvez tenha colocado dentro alguma coisa que não deveria. Remova qualquer carne, laticínio ou gordura.
- Você pode começar o processo em qualquer época, mas o outono talvez seja a melhor estação. As folhas mortas serão decompostas durante o inverno (no tempo frio, a compostagem é mais lenta, mas não para), e você estará preparada para o plantio da primavera.

Tempere sua vida

"Em nossa infância, no Brooklyn, não tínhamos um quintal, mas meu pai era bom com plantas. Ele cultivava muito manjericão na janela. Era impressionante o que ele conseguia fazer. Não há nada melhor do que ervas frescas!"

— Grace Fortunato

Como plantar na janela uma horta de temperos

Passo 1 Escolha as sementes: cebolinha, coentro, endro, orégano, manjericão, limonete,* manjerona e várias outras ervas, como salsa, sálvia, alecrim e tomilho, crescem muito bem numa janela ensolarada.

Passo 2 Plante as sementes. Pegue um vaso pequeno (ou mesmo um copinho de plástico de 60ml, com buracos no fundo para drenagem) para cada tipo de semente, marque-o com o nome da planta e encha-o com terra fresca. (Em geral funciona muito bem uma mistura de turfa, vermiculita e perlita, vendida em lojas de jardinagem como "mistura para vasos".) Regue bem a terra com água morna. Em cada vaso, coloque algumas

---

* Também conhecido como falsa erva-cidreira. (*N. da E.*)

sementes, cubra com 0,5cm de terra, aperte delicadamente e diga algumas palavras carinhosas. Então, coloque os vasos em uma bandeja rasa com uma camada de água morna e deixe-os descansar durante alguns minutos, até que a superfície da terra pareça úmida.

Passo 3 Promova a germinação: transforme cada vaso numa miniestufa, cobrindo-o com filme plástico preso por um elástico. Coloque os vasos num lugar aquecido — por exemplo, em cima da geladeira — (o local não precisa ser iluminado) e fique atenta ao aparecimento de brotos. Isso pode levar até quatro semanas. Até lá, mantenha sempre a terra úmida colocando periodicamente seus vasinhos numa bandeja rasa com água. Quando a superfície da terra estiver úmida, retire o vaso da bandeja.

Passo 4 Deixe o sol entrar. Quando observar alguns brotos, toque uma buzina, grite e dance pela casa. Depois, retire o plástico, leve o vaso para a janela mais ensolarada que tiver e veja suas ervas crescerem, regando-as sempre que a superfície da terra parecer seca. Coloque água suficiente para sair pelo fundo do vaso.

Passo 5 Depois que cada broto tiver meia dúzia de folhas, transfira as plantas mais saudáveis para vasos maiores ou para uma jardineira — qualquer recipiente com boa drenagem serve. Regue suas plantas e borrife-as com água sempre que a superfície da terra parecer seca. Apenas não exagere. Se ficarem de molho, as plantas irão apodrecer.

Passo 6 Dentro de seis a dez semanas, suas ervas estarão crescidas, as folhas serão abundantes e você poderá começar a colher! Com a boca cheia d'água, corte as folhinhas das pontas para usar em suas receitas ou chás favoritos.

Mais Dicas Úteis

- Se você puder gastar mais uns trocados, ótimo! Compre mudas das plantas na loja de jardinagem e salte os passos 1-4.
- Hortelã e orégano tendem a ser um pouco espaçosos, os safados, portanto plante-os em seus próprios vasos ou eles irão invadir a horta inteira.
- Para obter o máximo de sabor, colha as ervas pela manhã. E não se sinta mal com isso. Podar as folhas só ajuda o crescimento.
- Sua horta é abundante demais? Em primeiro lugar, parabéns! Depois, colha as ervas, lave-as com água fria e pique-as. Então, coloque-as numa forma de gelo com água e congele-as. Transfira os maços de ervas para sacos de plástico fechados a vácuo e guarde-os no freezer até a hora de usar. (Se você congelou maços de hortelã, experimente colocá-los diretamente dentro do seu mojito!)

Preserve o conhecimento

"Se a horta era grande, você fazia conservas de tudo para o inverno: vagens, milho, pêssegos e peras. Isso era levado muito a sério. Lembro-me das filas e filas de frutas e legumes em vidros com tampa hermética. Dava uma sensação gostosa de realização ver todos aqueles vidros enfileirados."

— ALICE LOFT

Como desidratar maçãs

Passo 1 Escolha algumas maçãs. Quanto mais doces, melhor. (Prefira as maçãs Fuji.) Você também irá precisar de alguns limões ou suco de limão.

Passo 2 Gradue o forno para 60°C ou para a temperatura mais baixa possível e lave as maçãs.

Passo 3 Misture partes iguais de suco de limão e água. Descasque as maçãs, retire as sementes e corte fatias de 0,5cm de espessura. Mergulhe as fatias na água com limão e deixe-as de molho por 5 a 10 minutos. Isso ajuda a preservar a cor.

Passo 4 Enxugue as maçãs e arrume-as sobre uma grelha para bolo, separadas por 0,5cm; coloque a grelha sobre uma assadeira rasa (se não tiver uma grelha para bolo, use apenas a assadeira) e leve as maçãs ao forno. Elas ficarão lá por cinco horas. Fatias mais grossas podem levar mais tempo. No meio desse período, pergunte-se como andarão as maçãs. Dê uma espiadinha no forno, para aferir o progresso. Vire todas as fatias. Se algumas estiverem secando mais depressa que outras, troque a posição das assadeiras ou a altura das prateleiras do forno, para ajudar a distribuir o calor por igual. As fatias estarão prontas quanto estiverem secas e flexíveis, sem estar quebradiças.

Passo 5 Deixe as fatias esfriarem e coloque-as num recipiente de vidro, feche-o hermeticamente e deixe-o descansar por alguns dias, para que a umidade restante se espalhe por igual. Diariamente, balance o vidro para evitar que as fatias fiquem coladas. Se o vidro ficar úmido, repita o passo 4.

Passo 6 Pasteurize suas maçãs, colocando-as em sacos de plástico fechados a vácuo e guardando-as no freezer durante 48 horas. Isso vai remover o excesso de água e — não se assuste! — ajudar a matar qualquer ovo de drosófila que esteja por ali.

Passo 7 Retire as maçãs do freezer e guarde-as num lugar fresco e escuro. As maçãs desidratadas se conservam durante seis meses a um ano. Comê-las fará você se sentir esperta.

Mais Dicas Úteis

- Para um resultado ainda melhor, polvilhe canela sobre as maçãs antes de desidratá-las.
- Não tem limão? Para evitar o escurecimento das fatias, você também pode molhar as maçãs com suco de laranja ou de abacaxi enriquecido com vitamina C.

- Se secar as maçãs numa assadeira, tenha o cuidado de virá-las algumas vezes, para que o ar possa circular dos dois lados.
- Se tiver alguns dias e a temperatura estiver acima dos 27°C, desidrate as maçãs ao sol. Coloque-as sobre um grade de madeira ou uma peneira de aço inoxidável levantada (para que o ar possa circular embaixo), cubra as fatias com uma gaze para manter os insetos a distância e coloque-as na sua janela mais ensolarada. À noite, recolha-as. Repita a operação até que elas fiquem secas.

Conserve sua colheita

"Se não fizéssemos conservas no verão, não teríamos legumes para comer no inverno."

— Nikki Spanof Chrisanthon

Como fazer conservas de frutas e legumes

Passo 1 Reúna o material: você irá precisar de dois panelões (um para os vidros e outro para as frutas ou legumes); uma grelha própria para manter os vidros separados (para evitar que eles se choquem e quebrem); um pegador para vidros (ou uma pinça grande); o número suficiente de vidros de boca larga com capacidade para 470ml; tampas com selo para vedação e anéis de vedação para proteger a conserva. (Os vidros e os anéis podem ser reciclados, mas as tampas, não.)

Passo 2 Lave os vidros com água quente na lava-louças ou com água e sabão e aqueça-os, levando-os ao fogo (sem ferver) num panelão cheio d'água. Não é preciso esterilizar os vidros porque, depois de cheios, eles serão fervidos por mais de 10 minutos. Prepare as tampas de acordo com as instruções do fabricante. (Alguns irão instruí-la a aquecer também as tampas.)

Passo 3 Prepare os vegetais de acordo com as instruções da página 80 e encha os vidros. Coloque a tampa, prendendo firmemente os anéis de vedação.

Passo 4 Encha um panelão com água suficiente para que os vidros, se colocados em pé, fiquem cobertos por pelo menos 2cm de água; tampe-o e leve-o ao fogo até ferver.

Passo 5 Quando a água entrar em ebulição, retire a tampa do panelão e arrume os vidros cheios na grelha própria. Se a água não ultrapassar os vidros em pelo menos 2cm, acrescente mais água *fervente*. Os vidros precisam ficar sempre completamente submersos, caso contrário o conteúdo pode estragar. Torne a tampar o panelão.

Passo 6 Mantendo uma ebulição vigorosa, marque o tempo apropriado de fervura. (Ver em "Detalhes", na página 80, as recomendações para cada tipo de conserva.)

Passo 7 Apague o fogo, retire a tampa e espere cinco minutos. Então, retire os vidros usando o pegador de vidros ou a pinça.

Passo 8 Deixe os vidros esfriarem completamente, mantendo-os em pé durante 12 a 24 horas. Retire o anel de um deles, prenda a respiração e confira a vedação, apertando o centro da tampa. Se a tampa saltar, a vedação não está boa. Você pode substituir a tampa e tornar a ferver a conserva no prazo de 24 horas ou pode guardar o vidro na geladeira e consumir a conserva dentro de dois dias, no máximo.

Passo 9 Guarde os vidros em local seco, fresco e escuro, longe da luz do sol e de ladrões famintos. A maioria das conservas de frutas e legumes dura pelo menos um ano.

Detalhes, detalhes: seu guia de conservas

Maçãs: lave, descasque, retire as sementes e corte as frutas em fatias (8,5kg de frutas rendem sete vidros de 470ml). Numa panela grande, coloque 2¼ xícaras de açúcar e 9 xícaras de água. Deixe ferver, mexendo constantemente até dissolver o açúcar. Cozinhe as maçãs nesta calda durante 5 minutos. Coloque as fatias de maçã e a calda em vidros vazios e aquecidos, deixando um espaço de 1cm na parte de cima do vidro. Vede a tampa e ferva os vidros durante 20 minutos.

Pêssegos: descasque, corte ao meio e retire os caroços das frutas (8kg de fruta rendem sete vidros de 470ml). Misture 2¼ xícaras de açúcar e 9 xícaras de água. Ferva a mistura, mexendo constantemente até o açúcar dissolver. Acrescente os pêssegos e cozinhe durante 5 minutos. Coloque os pêssegos quentes dentro de vidros vazios e aquecidos, cubra com a calda, deixando um espaço de 1cm no alto. Vede a tampa e ferva os vidros durante 25 minutos.

Tomates: retire a pele dos tomates e corte-os ao meio ou deixe-os inteiros, se forem pequenos (9,5kg de tomates rendem 7 vidros de 470ml). Coloque os tomates nos vidros. Acrescente em cada vidro duas colheres de sopa de suco de limão e encha-o com água fervente ou suco de tomate quente, deixando 1cm de folga. Remova as bolhas de ar com uma espátula de plástico. Vede a tampa e ferva os vidros durante 45 minutos.

Frutas silvestres (amora, mirtilo, framboesa, vacínio* etc.): coma os morangos frescos ou transforme-os em geleia (ver página 82.) Eles têm muito pouca acidez para que sejam transformados em conserva sem usar um processo industrial. Qualquer

---

* Também conhecido como mirtilo. (*N. da E.*)

outro tipo de fruta silvestre: lave e retire os cabinhos (5,5kg de frutas rendem 7 vidros de 470ml). Numa panela grande, coloque 2¼ xícaras de açúcar e 9 xícaras de água fervente, mexendo constantemente até dissolver o açúcar. Adicione 1/2 xícara da calda em cada um dos vidros vazios e aquecidos; encha-os com as frutas e acrescente mais calda, deixando 1cm no alto do vidro. (Para conservar as frutas silvestres sem açúcar, substitua a calda por água fervente.) Vede a tampa e ferva os vidros durante 20 minutos.

Mais Dicas Úteis

- Para evitar que as frutas fiquem escuras depois de cortadas, coloque-as de molho em 4 litros de água com uma colher de chá de ácido ascórbico ou regue-as com suco de limão.
- Para remover com facilidade a pele de tomates e pêssegos, mergulhe-os em água fervente durante 45 segundos e em seguida mergulhe-os em água gelada. A pele sairá imediatamente!
- Todas as nossas conservas de frutas são feitas com uma calda leve. Para deixar a calda menos doce, use 1¼ xícara de açúcar para 10½ xícaras de água. Para uma conserva mais doce, use 3¾ xícaras de açúcar para 8¼ xícaras de água.
- Todos os tempos de fervura foram calculados para o nível do mar. Se você morar a mais de 300m de altitude, acrescente 5 minutos ao tempo de fervura. Acima de 1.000m, acrescente 10 minutos. Se estiver acima de 2.000m, aumente o tempo de fervura em 15 minutos.
- Para obter receitas, instruções e tudo o que quiser saber sobre preparação de conservas, visite a página do National Center for Home Food Preservation: www.uga.edu/nchfp/. Infelizmente, não temos um site brasileiro similar a este para indicar.

Adoce seu dia

"Eu ia até as moitas colher amoras silvestres para fazer geleia. Nós comíamos a geleia com panquecas, pães e biscoitos. Nem chegávamos a colocá-la em vidros, porque nós a comíamos muito depressa."

— Mildred Kalish

Como preparar (e conservar) geleia de morango

Passo 1 Colha seus próprios morangos. Você vai precisar de 2,5 litros (ou 9 xícaras) de fruta para cada receita de geleia. Não se preocupe se alguns morangos não estiverem completamente maduros. Eles irão ajudar a dar consistência à geleia.

Passo 2 Reúna os equipamentos e os outros ingredientes. Você vai usar: 2 limões grandes, 4 xícaras de açúcar, uma panela grande, uma colher de pau, um prato pequeno; se não tiver intenção de comer toda a geleia imediatamente, também precisará de todos os equipamentos para preparar conservas, inclusive uma panela imensa, a grelha que evita a quebra dos vidros, o pegador de vidros (ou pinça), uma concha e 4 vidros de 275ml, com tampas novas e anéis de vedação.

Passo 3 Deixe o prato pequeno no freezer. Mais tarde você irá usá-lo para uma operação muito interessante. Pode fazer cara de espanto!

Passo 4 Para esterilizar os vidros, encha a panela grande com água quente. Coloque os vidros vazios na grelha e mergulhe-os na água; ferva durante 10 minutos. Prepare as tampas e os anéis de vedação de acordo com as instruções do fabricante. Desligue o fogo, mas por enquanto deixe os vidros mergulhados na água quente.

Passo 5 Lave os morangos e remova os cabinhos e as folhinhas.

Passo 6 Coloque os morangos numa panela grande e esmague-os delicadamente (ou, dependendo do seu humor, sem muita delicadeza) com a colher de pau, deixando algumas frutas um pouco amassadas, mas ainda reconhecíveis. Ferva em fogo de brando a médio durante 10 minutos.

Passo 7 Acrescente o açúcar e 1/3 de xícara de suco de limão recém-espremido, mexendo constantemente até que o açúcar se dissolva.

Passo 8 Aumente o fogo para que a mistura de morangos comece a ferver. Mantenha a fervura durante mais ou menos 20 minutos, ou até a mistura começar a ficar espessa. Não se preocupe. Essa parte não é tão chata quanto parece, porque você tem duas grandes tarefas para realizar: mexer com frequência, para evitar que os pobres morangos do fundo da panela fiquem queimados, e remover qualquer espuma que se forme na superfície.

Passo 9 Retire o prato do freezer e teste o ponto, colocando no prato uma colher de chá da geleia. Conte até 30, prenda a respiração e vire o prato de lado. Se a mistura gelificar e se mover apenas um pouco, vá para o passo 10. Se ela escorrer pelo prato, devolva-o para o freezer, xingue um pouco, cozinhe a geleia por mais 1 ou 2 minutos e repita o teste. Faça isso tantas vezes quanto for preciso.

Passo 10 Tire a geleia do fogo. Usando a pinça, tire da água quente os vidros esterilizados e esvazie-os. Com uma concha, encha os vidros, deixando 1cm de folga no alto. Limpe bem a rosca com uma toalha de papel úmida e limpa, para conseguir uma boa vedação. Coloque a tampa e aperte o anel para vedar. Repita essa operação até ter enchido todos os vidros.

Passo 11 Agora você precisa esterilizar a geleia. Verifique o nível da água na panela de onde tirou os vidros; ele deve ser suficiente para cobrir os vidros colocados em pé com uma folga de pelo menos 5cm. Aqueça a água até ferver. Usando a pinça, coloque os vidros na grelha, mergulhando-os na água fervente, cubra o conservador com a tampa e deixe ferver durante 5 minutos. Desligue o fogo e espere mais 5 minutos.

Passo 12 Usando a pinça, transfira os vidros para uma prateleira e deixe esfriar durante 12 a 24 horas. Confira a vedação, apertando o centro de cada tampa. Se a tampa não saltar, o vidro está vedado! Guarde em local fresco e escuro até o máximo de 1 ano. Se a tampa saltar, repita o passo 11 dentro de até 24 horas ou guarde o vidro na geladeira e use-o imediatamente.

Mais Dicas Úteis

- Para esmagar os morangos mais depressa, troque a colher de pau por um espremedor de batatas.

- Se não confiar no teste do prato gelado, faça um teste adicional com um termômetro culinário. Quando alcançar 105°C, a geleia estará pronta para ser colocada no vidro.
- Ao terminar o passo 10, sobrou um vidro que não está completamente cheio? Tampe-o e guarde-o na geladeira. Ele terá duração de 3 a 4 semanas.
- Há quem use pectina para espessar a geleia. Isso também funciona! Basta seguir as instruções da embalagem.
- Para um sabor mais intenso, no passo 7 acrescente casca ralada de limão ou laranja.

Compre produtos de sua região

"No sábado, minha mãe ia à feira dos produtores, passando de uma barraca para outra para ver onde poderia conseguir o melhor preço."

— Nikki Spanof Chrisanthon

Como comprar na fazenda

Passo 1 Frequente as feiras de sua região ou as barracas de beira de estrada. Não há nada mais fresquinho e saboroso do que frutas e legumes que viajaram no máximo da lavoura até a beira da estrada, sem entrar em caminhões, refrigeradores ou armazéns. Essa opção é ideal para você, para o fazendeiro e para o meio ambiente.

Passo 2 Faça parte de comunidades apreciadoras de produtos orgânicos, geralmente organizadas por pequenas lojas voltadas para a agricultura sustentável. É divertido, barato e você vai apreciar o que come muito mais do que imagina. Para conhecer mais sobre o assunto, visite www.planetaorganico.com.br.

Mais Dicas Úteis

- Bata papo com os cultivadores de sua região. Muitas vezes, eles vendem por preços muito baixos as maçãs que caíram da árvore.
- Vá à feira nas últimas horas. Em geral, os vendedores diminuem os preços quando se aproxima a hora de encerrar, para não precisar voltar para casa com os produtos.

3

Na faxina

Assuma a responsabilidade por sua própria bagunça.
Use produtos não poluentes e nunca pague a alguém para
fazer o que você mesma pode fazer.

Acabe com as rugas

"Meu pai tinha uma loja de doces e costumava comprar sacos de 50 quilos de açúcar. Quando o açúcar acabava, minha mãe branqueava os sacos ao sol e fazia lençóis com eles."

— Nikki Spanof Chrisanthon

Como dobrar um lençol com elástico

Passo 1 Com o lençol pelo avesso, coloque a mão esquerda dentro de um dos cantos e a mão direita no canto mais próximo.

Passo 2 Juntando as mãos, vire o canto da mão direita sobre o canto da mão esquerda. (A mão direita ficará livre e a mão esquerda segurará os dois cantos.)

Passo 3 Transfira os dois cantos para a mão direita, leve a mão esquerda ao longo do lençol até a outra ponta e aninhe os dois cantos restantes na mão esquerda.

Passo 4 Com dois cantos do lençol em cada mão, junte as mãos e vire os cantos da mão direita sobre os cantos da mão esquerda.

Passo 5 Segure a borda direita. Sacuda o lençol com delicadeza, deixando que os lados que têm elástico fiquem virados em sua direção. Deite (o lençol, não você!) sobre uma superfície plana.

Passo 6 Dobre o lençol em três no sentido do comprimento e depois dobre-o ao meio.

Passo 7 Alise o lençol, coloque-o na prateleira e sinta-se orgulhosa.

Uma Dica Útil

- Esse método pede alguma prática. Se tiver dificuldade, no passo 3 deite o lençol sobre uma superfície. Você vai dominar a técnica em pouco tempo!

Tire uma soneca

"Todo dia, tínhamos de fazer as camas. Minha mãe sempre dizia: tire as cobertas da cama, para espantar o sono. Deixe a cama esfriar e depois pode arrumá-la."

— ALICE LOFT

Como arrumar a cama

Passo 1 Use um protetor de colchão para ter mais segurança e conforto. Existem até protetores à prova d'água, para o caso de algum sonolento em sua cama ser sujeito a... digamos, acidentes.

Passo 2 Estique o lençol com elástico sobre o colchão, enfiando primeiro os dois cantos superiores do lençol. Repita a operação com os cantos inferiores. Se você não enfiar os cantos bem para baixo, o lençol poderá se soltar durante a noite — um tremendo pesadelo! Alise o lençol com as mãos.

Passo 3 De pé ao lado da cama e segurando com as duas mãos o lado mais comprido do lençol (com a bainha mais larga voltada para a cabeceira), sacuda-o no ar e deixe que ele se espalhe sobre o colchão. Assegure-se de que o lençol esteja bem no centro da cama, com as bordas paralelas ao chão. Vá para o pé da cama, puxe o lençol para baixo, para que a borda superior fique rente à cabeceira da cama e o lado inferior tenha uma sobra de pelo menos 30cm.

Passo 4 Para obter cantos bem-feitos, enfie a borda inferior do lençol para baixo do colchão. Então segure a lateral do lençol a uns 40cm do pé da cama, levante-a e deite-a sobre o colchão. Enfie para baixo do colchão as pontas soltas e então volte o canto para baixo, esticando-o bem e enfiando-o embaixo do colchão.

Passo 5 Cubra a cama com uma colcha, cobertor ou edredom.

Passo 6 Vista os travesseiros com fronhas e arrume-os na cabeceira da cama.

Mais Dicas Úteis

- A cada mudança de estação, vire o colchão. Duas vezes por ano, faça a rotação do colchão, para evitar que ele fique afundado.
- Se tiver um colchão de plumas, dê uma sacudida nele antes de fazer a cama, para que fique mais fofinho.
- Use lençóis do tamanho adequado ao colchão: lençóis grandes para um colchão grande, lençóis Queen para um colchão Queen, e assim por diante. Se os lençóis forem grandes ou pequenos demais, você não sentirá conforto. Óbvio!
- Para arejar os lençóis, borrife-os com um spray de lavanda; você cairá no sono mais depressa. Para arejar os travesseiros, exponha-os ao sol.

Aproveite o vento

"Não sei por que é tão gratificante secar as roupas ao sol e ao vento. Quando recolhemos as roupas, estamos colhendo frescor."

— MILDRED KALISH

Como instalar um varal

Passo 1 Escolha um lugar indevassável. Ninguém, muito menos seu vizinho, gosta de contemplar suas calcinhas flutuando na brisa. Um lugar com uma mistura de sol e sombra pode ser o ideal, porque raios solares muito intensos clareiam as roupas brancas (oba!), mas desbotam as roupas coloridas (buá!).

Passo 2 Escolha o nível de sofisticação do varal:

Nada sofisticado: Um barbante de algodão amarrado em duas árvores, mais ou menos 10cm acima da sua cabeça, será suficiente.

Um pouco sofisticado: Amarre o fio numa árvore, um pouco acima da sua altura; parafuse na varanda (ou na garagem, ou no celeiro) um gancho resistente de metal, na mesma altura; prenda uma trave na parede, uns 15cm abaixo do gancho. (Se você não souber o que é uma trave, prefira a versão nada sofisticada. As roupas secarão do mesmo jeito.) Para esticar o varal, traga o fio da árvore, passe-o pelo gancho e enrole-o várias vezes em torno da trave para esticá-lo e prendê-lo. Quando o varal não estiver em uso, basta enrolar o fio no pé da árvore ou pendurá-lo em um galho.

Muito sofisticado: Na loja de materiais de construção mais próxima de sua casa, compre dois postes para varal, uma metragem de corda e um saco de cimento. Cave no local desejado dois buracos com uns 30cm de largura e pelo menos 30cm de profundidade. Prepare o cimento de acordo com as instruções da embalagem. Molhe um dos buracos, encha-o até a metade com cimento, encaixe o poste e acabe de encher com cimento. Repita no outro lado. Deixe o cimento endurecer durante pelo menos 24 horas e depois estique a corda.

Passo 3 É isso aí! Quando pendurar a roupa molhada para secar, fique feliz por saber que está poupando dinheiro — e o meio ambiente.

Mais Dicas Úteis

- Para maior insolação, instale o varal na direção norte-sul.
- Não pendure o varal embaixo de um ninho de pássaros ou suas roupas limpas podem ficar sujas rapidamente.
- Sacuda as roupas depois de tirá-las do varal para que fiquem macias (e com boa aparência).
- Se a corda começar a afrouxar e a roupa molhada correr o risco de arrastar no chão, faça um suporte: pregue dois pregos na ponta de um velho cabo de vassoura e coloque o suporte entre o chão e a corda, para suspendê-la.

Passo 4 Retire as roupas da bacia e aperte-as delicadamente. (Mais uma vez, jamais torça suas peças delicadas.) Coloque as roupas sobre uma toalha limpa, de cor clara. Se tiver mais peças para lavar, prossiga, das mais claras para as mais escuras.

Passo 5 Esvazie e lave a pia, tornando a enchê-la com água limpa. Agite cada peça de roupa na água para enxaguar, mais uma vez lavando da mais clara para a mais escura. Repita a operação, se necessário.

Passo 6 Coloque cada peça sobre uma toalha limpa e de cor clara, restaurando a forma original da roupa. Enrole a toalha de uma ponta à outra, pressionando delicadamente para remover o excesso de água das roupas delicadas.

Passo 7 Pendure as roupas para secar, se possível, ou deixe-as secar esticadas sobre uma toalha, virando-as no meio do processo de secagem.

Mais Dicas Úteis

- Para diminuir o tempo de secagem, use um ventilador para as roupas delicadas.
- Não tem um sabão para roupas delicadas? Use um pouco de xampu infantil.

Poupe sua lingerie

"Tínhamos uma tina para lavar roupa, uma grande barra de sabão amarelo e uma tábua de esfregar. Nós esfregávamos as roupas naquela tábua e as pendurávamos no varal para secar. Se não fosse pelo orgulho que sentíamos das roupas limpas, eu não faria aquilo."

— Elouise Bruce

Como lavar manualmente as roupas delicadas

Passo 1   Reúna suas peças delicadas: roupas de seda ou renda, meias, tricôs que possam encolher na água quente e qualquer roupa com detalhes delicados que possam ser danificados pela lavadora automática. Se a etiqueta não disser LAVAR A SECO, você pode lavar à mão, em casa. Separe as roupas pela cor.

Passo 2   Encha a pia com água à temperatura ambiente (água quente demais pode desbotar as peças; fria demais, pode não lavar direito). Adicione um jato de líquido próprio para roupas delicadas; agite.

Passo 3   Mergulhe as peças mais claras e deixe-as de molho durante 3 minutos. Gire as peças na água e mergulhe-as, se necessário, mas nunca esfregue, torça ou esprema.

Aqueça-se

"A qualidade de vida dependia de se ser uma boa dona de casa. Se você fosse competente, a vida era agradável."

— Ruth Rowen

Como limpar o forno

Passo 1   Tire as prateleiras do forno e deixe-as de molho em água morna com sabão durante várias horas. Esfregue, enxágue e enxugue as prateleiras.

Passo 2   Confira os recursos do seu forno. Se ele tiver um botão ou dial com a palavra LIMPAR, você está com sorte! Seu forno é autolimpante, o que significa que só é preciso comandar a operação de limpar, deixar o forno esfriar e depois usar uma esponja úmida para remover as cinzas que se acumularem no fundo. Se não tiver esse recurso de limpeza, não fique triste. Dentro de pouco tempo seu forno estará imaculado e brilhante.

Passo 3   Com uma espátula de plástico, raspe os restos de comida derramada. Essa parte fica mais divertida se você conseguir lembrar como foi delicioso saborear aquilo que está raspando.

Passo 4 Em um borrifador, coloque três colheres de sopa de bicarbonato de sódio e complete com água quente. Agite para misturar e borrife a solução sobre a superfície interna do forno. Deixe agir durante 10 minutos.

Passo 5 Limpe com uma esponja úmida. Se necessário, repita a operação.

Mais Dicas Úteis

- Limpe o forno assim que cair comida nele, para facilitar as futuras limpezas.
- Não consegue alcançar o que derramou? Jogue sal sobre os restos e limpe depois que o forno esfriar.
- Se a porta do forno estiver muito engordurada, passe sobre ela uma esponja com água e sabão. Então, raspe o vidro com uma lâmina de barbear. Parece uma medida radical, mas é muito eficaz!

Aumente seu brilho

"Nós sempre lavávamos a louça. Em minha família, éramos três meninas e trocávamos de papel toda semana. Uma lavava, outra enxugava e a terceira guardava a louça. Era sempre assim."

— Alice Loft

Como lavar a louça

Passo 1 Limpe as sobras de comida dos pratos, enxágue-os com água e empilhe-os ao lado da pia. Coloque o escorredor do outro lado da pia. Ponha alguma música para tocar ou convoque uma amiga boa de papo

Passo 2 Ponha um pouco de detergente em uma esponja e ensaboe a louça de acordo com a quantidade de gordura: xícaras e copos primeiro, talheres em seguida, pratos e tigelas depois, panelas no final.

Passo 3 Enxágue a louça, de preferência com água quente, arrume no escorredor para secar e admire seu reflexo.

Mais Dicas Úteis

- Se usar luvas de borracha, você protegerá sua pele e poderá lavar a louça com água mais quente, garantindo maior limpeza.
- Quando lavar louças de porcelana, coloque um pano de prato no fundo da pia. Se você deixar uma peça cair, será menos provável que ela se quebre.

Brilhe mais

"Todo sábado, minha mãe limpava o andar de baixo e minha irmã e eu tínhamos de limpar o segundo andar. Naquele tempo, tínhamos piso de alumínio e nossa tarefa era esfregar o chão e as escadas até o andar de baixo."

— Nikki Spanof Chrisanthon

Como limpar o chão

Passo 1 Despache para longe todos os pezinhos inquietos, retire os móveis do caminho e coloque para tocar uma boa música. Lembre-se, limpar o chão *não* é sinônimo de depressão.

Passo 2 Varra o chão para remover qualquer poeira ou terra que possa riscar o piso e literalmente "sujar" o processo.

Passo 3 Encha um balde com água fria e adicione um pouco de detergente para lavar louças.

Passo 4 Mergulhe o esfregão no balde, esprema-o bem e parta para a ação, começando pelo lado mais distante do cômodo. Nos pisos de madeira com revestimento de poliuretano (sinteco), passe o esfregão no sentido da fibra da madeira. (Nunca limpe com água e detergente um piso de madeira encerado. A água pode danificar a madeira.) Nos pisos de lajota, passe o esfregão num movimento em forma de oito.

Passo 5 Quando terminar uma seção ou quando o esfregão começar a parecer sujo, mergulhe-o no balde, agite, esprema novamente e continue a passá-lo no piso.

Passo 6 No final da tarefa, despeje a água suja no vaso sanitário (para não sujar a pia) e acione a descarga. Contemple seus pisos brilhantes, mas não caminhe sobre eles, mesmo na ponta dos pés, até que estejam secos.

Mais Dicas Úteis

- Para pisos de lajota, como os de cerâmica ou ardósia, use um esfregão de algodão. Para as superfícies lisas como madeira ou linóleo, prefira os de esponja.
- Antes de começar, planeje sua estratégia de saída, para não se ver presa em um canto do cômodo.
- Para passar esfregão em corredores, limpe primeiro os rodapés e depois o centro do corredor.

Passe a limpo

"Duvido que alguma vez tenhamos comprado um produto específico para alguma tarefa doméstica. Sempre tínhamos em casa água, sabão e vinagre."

— Alice Loft

Como eliminar mofo

Nas roupas

Passo 1   Tire do armário as roupas úmidas e limpe com uma escova qualquer ponto preto que consiga ver.

Passo 2   Faça uma pasta com suco de limão e sal e aplique-a sobre as áreas manchadas.

Passo 3   Deixe as roupas expostas ao sol durante várias horas. Pendure-as no varal, se tiver um (ver página 97). Caso contrário, deite-as sobre uma superfície plana, limpa e seca.

Passo 4   Enxágue completamente com água e depois lave as roupas como de costume.

Nos livros

Passo 1 É perfeitamente admissível chorar por causa dos livros mofados. Apenas não deixe as lágrimas caírem sobre as páginas. A umidade e o calor estimulam a formação de mofo.

Passo 2 Depois de recuperar a compostura, coloque os livros ao ar livre em um dia de sol. Com uma toalha seca, limpe delicadamente as páginas afetadas.

Passo 3 Aplique sobre as páginas uma camada fina de amido de milho, coloque o livro de pé e deixe-o exposto ao ar durante várias horas.

Passo 4 Espane novamente as páginas e pode começar a ler.

Nos estofados

Passo 1 Procure moedas soltas entre as almofadas e use-as à vontade. (Para sugestões de uso, ver a página 256.)

Passo 2 Faça uma boa limpeza em seu sofá ou poltrona com um aspirador de pó.

Passo 3 Leve o móvel para fora em um dia ensolarado e pouco úmido e deixe o sol agir. Alguns esporos pretos não são páreo para os poderosos raios UV. Shazam!

Em paredes pintadas

Passo 1 Calce luvas de látex. (Para maior satisfação, calce as luvas com um gesto dramático, com direito a estalo.)

Passo 2 Dissolva 3/4 de xícara de água sanitária em 4 litros de água e aplique a solução sobre as paredes, usando uma esponja.

Passo 3 Lave a esponja com água limpa e passe-a novamente sobre as paredes.

Nos azulejos do banheiro

Passo 1 Aplique sobre os azulejos uma solução de quatro partes de água para uma parte de vinagre e vá fazer outra coisa, de preferência muito mais divertida, durante uma hora ou mais. (Você também pode usar vinagre puro, mas se fizer isso com muita frequência, poderá dissolver o rejunte.)

Passo 2 Numa escova dura (ou escova de dentes), coloque um pouco de bicarbonato de sódio e parta para cima das paredes, esfregando vigorosamente todo o rejunte.

Passo 3 Enxágue e, se necessário, repita a operação.

Mais Dicas Úteis

- Mantenha sua casa limpa e arejada. O mofo adora lugares sujos, escuros e úmidos.
- Abra as janelas nos dias de vento.
- Não guarde no armário roupas sujas ou molhadas.
- Ligue o exaustor do banheiro.
- E pense em novas maneiras de deixar o sol entrar!

Pegue o queijo

"Tínhamos ratos e eu ficava apavorada. Meu pai pegava um pedaço de pão; tostava, passava azeite e colocava na ratoeira como isca. Aquilo funcionava! Mas até hoje, quando vejo um camundongo, saio correndo."

— Grace Fortunato

Como livrar a casa de camundongos

Passo 1 Limpe a casa. Tenho certeza de que você é uma pessoa extremamente interessante, mas o único motivo pelo qual os camundongos (esses bicões) podem querer visitá-la é a boca-livre. Se você não oferecer comida a eles, é menos provável que queiram fazer amizade. Portanto, não deixe migalhas para trás. Quando terminar de cozinhar, limpe a bancada e varra o chão da cozinha. Não coma batatas fritas no sofá ou biscoitos na cama. Cubra o lixo ou tire-o de dentro de casa. Guarde em embalagens vedadas os mantimentos, como os flocos de cereais ou até mesmo a ração para cachorro. Se avistar algum cocô de rato, limpe-o também.

Passo 2 Localize as entradas deles. Procure por buracos nas paredes (com 0,5cm ou mais), embaixo dos móveis, entre as tábuas do assoalho e os rodapés e, principalmente, em torno das instalações elétricas e hidráulicas. Não se esqueça de dar uma olhada atrás do fogão e da geladeira! Qualquer abertura que você encontre deve ser tapada com uma esponja de aço, que os ratos não conseguem roer.

Passo 3   Pingue algumas gotas de óleo de menta (que pode ser encontrado na maioria das lojas de produtos naturais ou mercadinhos) em bolas de algodão e espalhe-as pela casa, principalmente onde você acha que os camundongos gostam de ir regularmente: atrás do fogão, embaixo das pias, ao longo das paredes, perto da lata de lixo e junto aos dutos de ventilação. O cheiro mentolado será um estímulo para você, mas deixará os ratos tontos. O olfato deles é sensível demais.

Passo 4   Se nada disso adiantar, coloque ratoeiras junto das paredes, o lugar por onde os ratos preferem passar. As ratoeiras de mola são as mais compassivas porque matam instantaneamente o camundongo. As ratoeiras adesivas são cruéis porque demoram a matar. E armadilhas que não matam vão manter os camundongos vivos até você levá-los para um espaço aberto onde, lamento dizer, as chances de sobrevivência do bicho poderão ser pequenas.

Mais Dicas Úteis

- Plante hortelã em torno das portas principais e em jardineiras nas janelas (ver as instruções nas páginas 72-73) para tornar sua casa menos interessante para o Mickey, a Minnie e os indesejáveis primos deles.
- Arranje um gato.

Areje seu lar

"A faxina de primavera era um grande acontecimento. Quando ela acabava, a primeira coisa que fazíamos era contar a todo mundo que havíamos terminado. Todos ficavam morrendo de inveja."

— Mildred Kalish

Como fazer uma faxina geral

Passo 1 Programe-a. Não se começa uma faxina geral por capricho. Você precisa estar com a atitude mental adequada. Reserve um fim de semana (ou mais, se vai fazê-la sozinha), faça um estoque de material de limpeza (inclusive toalhas de papel, bicarbonato e vinagre), prepare uma excelente trilha sonora e pense em como vai se sentir renovada quando tudo estiver limpo e arrumado.

Passo 2 Para cada cômodo da casa, faça uma lista das tarefas a executar. Em cada cômodo, será preciso: tirar a poeira de todas as superfícies, inclusive paredes, teto e ventiladores de teto; lavar paredes sujas usando esponja, água e um pouco de detergente para louças; passar o esfregão ou o aspirador de pó, inclusive embaixo e atrás dos móveis. Se necessário, limpe os tapetes com vapor; lave os espelhos de tomadas e interruptores; retire e lave as cortinas ou as persianas; bata as almofadas, os tapetes grandes e pequenos e os travesseiros (do lado de fora da casa); e limpe as janelas por dentro *e* por fora (inclusive as telas). Parece desagradável e um pouco cansativo, mas faça as coisas passo a passo. Sim, é difícil, mas quase todas as coisas boas da vida também são.

Passo 3 Inclua em sua lista as tarefas especiais de cada cômodo da casa. Na cozinha, degele a geladeira, lave-a, lave o congelador; degele e lave o freezer, limpe o forno e organize a despensa e as gavetas. No quarto, vire e faça a rotação do colchão, troque as roupas de cama, lave os travesseiros e arrume o armário, doando tudo o que não usa mais. No banheiro, inclua na lista as tarefas semanais como lavar o vaso sanitário, o boxe, a pia, além de limpar a gaveta de remédios, jogando fora tudo o que estiver com o prazo de validade vencido. No escritório, retire os livros das estantes e limpe a poeira, espane os computadores e organize os documentos importantes.

Passo 4 Priorize as tarefas, decidindo o que gostaria de fazer primeiro. Se tiver ajuda, comece a delegar. Se não, mergulhe de cabeça, tendo o cuidado de terminar tudo o que começou para não criar uma bagunça maior ainda.

Uma Dica Útil

- Para limpar os lugares mais altos, enrole uma camiseta velha numa vassoura.

Limpe com naturalidade

"O vinagre é um produto de limpeza milagroso."
— Beatrice Neidorf

Como usar vinagre para limpar praticamente tudo

Para desinfetar

Passo 1 Se você está com síndrome de Howard Hughes,* encha um borrifador com vinagre branco destilado e ataque qualquer coisa que tenha germes: maçanetas, telefones, puxadores de armário, pias e assentos de vasos sanitários.

Passo 2 Remova o vinagre com um pano úmido.

Passo 3 Passe a língua para testar. Epa, estou brincando! Não faça isso!

---

* Hughes, produtor de Hollywood, era obcecado por manter-se longe de germes. (*N. da T.*)

Para limpar as janelas

Passo 1   Em um borrifador, dilua uma parte de vinagre em uma parte de água.

Passo 2   Aplique a solução sobre as vidraças.

Passo 3   Retire com um pano.

Passo 4   Confira seu reflexo. Dê uma piscadinha. Torça para que ninguém tenha visto.

Para limpar a pia da cozinha

Passo 1   Dobre as mangas da blusa. Se ficar com nojo do que está vendo, use luvas.

Passo 2   Misture um pouco de sabão líquido com 1/4 de xícara de bicarbonato de sódio e um pouco de vinagre para formar uma pasta cremosa.

Passo 3   Aplique a mistura na pia. Esfregue e enxágue.

Para desodorizar o banheiro

Passo 1   Abra a janela e jure que nunca mais vai comer *aquilo*.

Passo 2   Em um borrifador, misture 1 colher de sopa de vinagre, 1 colher de chá de bicarbonato de sódio e 1 xícara de água.

Passo 3   Borrife a solução no ar!

Para limpar o vaso sanitário

Passo 1 Despeje no vaso uma xícara de vinagre e deixe agir durante pelo menos 5 minutos.

Passo 2 Esfregue o vaso com uma escova dura.

Passo 3 Acione a descarga.

Para tirar marcas de copos de superfícies de madeira

Passo 1 Misture 2 colheres de sopa de vinagre com 2 colheres de sopa de óleo vegetal.

Passo 2 Molhe um pano macio com essa solução e esfregue a madeira no sentido das fibras para fazer a mancha desaparecer.

Passo 3 Deixe os descansos de copo à mão!

Para resolver "acidentes"

Passo 1 Olhe em torno para ver quem está com as calças molhadas e imediatamente vista roupas secas no culpado.

Passo 2 Misture partes iguais de vinagre e água, espalhe sobre a mancha e esfregue com uma toalha.

Passo 3 Espalhe bicarbonato de sódio sobre o local e deixe secar.

Passo 4 Escove ou passe aspirador

Para limpar brinquedos

Passo 1 Encha uma bacia com água e sabão e acrescente um pouco de vinagre.

Passo 2 Pegue os brinquedos da criança, de preferência quando ela não estiver olhando.

Passo 3 Deixe de molho, enxágue, seque e devolva os brinquedos, sua bruxa!

Para desencardir roupas brancas

Passo 1 No último enxágue das roupas brancas, acrescente 1/4 de xícara de vinagre para ajudar a remover de seus trapinhos os resíduos de sabão. Isso também amacia o tecido e diminui a eletricidade estática.

Passo 2 Vá relaxar. Não há mais nada para você fazer aqui.

Para remover manchas de suor

Passo 1 Borrife vinagre diretamente sobre o colarinho e as cavas de suas camisas.

Passo 2 Lave como de costume.

Para tirar o cheiro de cigarro das roupas

Passo 1 Não é porque você passou a noite toda com um cigarro na boca que suas roupas devem ter cheiro de cinzeiro. Se isso acontecer, prometa imediatamente que vai abandonar esse hábito horroroso. Se não for esse o caso, com quem você anda? Com ogros, certamente!

Passo 2 Pendure as roupas malcheirosas no banheiro.

Passo 3 Encha a banheira com água muito quente e acrescente uma xícara de vinagre.

Passo 4 Feche a porta do banheiro e deixe o vapor se infiltrar em suas roupas (e desodorizá-las).

Limpe com mais naturalidade

"Não havia trabalho de homem e trabalho de mulher. Só havia trabalho, e esperava-se que quem estivesse por perto desse conta dele."

— Lucile Frisbee

Como usar bicarbonato de sódio na limpeza doméstica

Para absorver odores

Passo 1 Identifique lugares malcheirosos — por exemplo: a geladeira, a lata de lixo, a bolsa de roupa de ginástica, a cesta de roupa suja.

Passo 2 Coloque dentro do recipiente uma embalagem permeável de bicarbonato de sódio (que não derrame) ou, se já pretende lavar as coisas fedorentas (por exemplo, suas roupas sujas), despeje o bicarbonato diretamente sobre elas.

Para polir prata

Passo 1 Herde objetos de prata ou compre-os em um bazar.

Passo 2 Prepare uma pasta com três partes de bicarbonato e uma parte de água.

Passo 3 Esfregue a prataria com essa pasta em um pano macio.

Passo 4 Enxágue com água e enxugue os objetos.

Para limpar a bancada da cozinha

Passo 1 Remova migalhas ou líquidos derramados.

Passo 2 Polvilhe bicarbonato de sódio em um pano úmido e esfregue a bancada com ele.

Passo 3 Retire com um pano limpo úmido ou uma esponja molhada.

Para desodorizar tapetes

Passo 1 Espalhe o bicarbonato diretamente sobre o tapete e deixe agir durante 15 minutos.

Passo 2 Aspire (com um aspirador de pó).

Passo 3 Respire fundo e fique satisfeita.

Para remover crostas de panelas

Passo 1 Espalhe um pouco de bicarbonato sobre a crosta de comida.

Passo 2 Encha a panela com água quente e deixe-a de molho durante a noite.

Passo 3 Pela manhã, raspe a crosta e fique maravilhada ao ver que ela sai com a maior facilidade.

Passo 4 Jure que da próxima vez que cozinhar ficará atenta ou comprará um timer, para não tornar a queimar comida no fundo da panela.

Para tirar o cheiro do Fido ou da Fifi

Passo 1 Se não puder dar-lhes um banho de espuma completo, jogue um pouco de bicarbonato de sódio diretamente sobre o pelo de seu cachorro ou gato e depois escove-o para remover completamente o pó.

Passo 2 Coloque mais um pouco de bicarbonato na cama do bichinho e também na caixa de areia, se tiver uma.

Passo 3 Amarre um laço de fita ou um lenço no pescoço da criaturinha. Isso não melhora o cheiro dela, mais vai deixá-la uma gracinha e melhorar um pouco as coisas.

Para limpar manchas de óleo

Passo 1 Espalhe bicarbonato de sódio diretamente sobre o óleo derramado, quer seja na cozinha, quer na garagem.

Passo 2 Esfregue com uma escova ou um pano molhado.

Para apagar um incêndio

Passo 1 Procure permanecer calma e tranquila. É hora de agir. Você pode entrar em pânico depois.

Passo 2 Para apagar as chamas, espalhe bicarbonato de sódio sobre elas. Isso funciona com qualquer tipo de fogo, inclusive em instalações elétricas ou em gordura.

Passo 3 Examine-se e examine o ambiente para aferir os danos.

Passo 4 Agora, se necessário, pode ter um ataque, mas depois congratule-se por ter evitado um desastre.

Para limpar a churrasqueira

Passo 1 Ponha a mão na massa, polvilhando bicarbonato de sódio em cima da grelha da churrasqueira.

Passo 2 Retire a grelha e deixe-a de molho em água e sabão por um período de duas horas até a noite toda.

Passo 3 Esfregue a grelha com uma escova de arame e devolva-a para a churrasqueira.

Para embelezar os móveis de jardim

Passo 1 Dissolva 1/4 de xícara de bicarbonato de sódio em 1 litro de água morna.

Passo 2 Usando um pano macio, limpe a espreguiçadeira com essa solução.

Passo 3 Limpe o móvel novamente usando um pano limpo e úmido.

Passo 4 Relaxe e aproveite: chegou o verão!

4

No closet

Você pode se vestir muito bem sem detonar os cartões de crédito. Compre com inteligência. Cuide do que tem e use as roupas até ficarem velhas.

Recupere sua camisa

"Quando eu tinha 10 anos, minha avó me ensinou a pregar um botão grande em uma jaqueta militar. Fiquei cheia de orgulho. A partir daí, passei a pregar botões nas camisas de todo mundo."

— Mildred Kalish

Como pregar um botão

Passo 1   Junte o material necessário. Você precisará de um botão, uma agulha, uns 60cm de linha da cor do botão e uma tesoura.

Passo 2   Enfie a linha na agulha e junte as duas pontas. Dê um nó nas pontas, fazendo uma alça e puxando as duas pontas por dentro dela. Faça outro nó e corte as sobras da linha.

Passo 3   Identifique o lugar certo para o botão procurando ver onde ele estava pregado antes de cair. Procure um resto de linha (que você irá remover) ou pequenos buracos no tecido no lugar por onde a linha passou. Se não conseguir encontrar o lugar do botão, abotoe a roupa, passe um alfinete pela casa correspondente ao botão que caiu e marque esse local com giz de costura ou lápis.

Passo 4 Empurre a agulha do avesso para o direito do tecido e puxe completamente a linha. Deslize o botão ao longo da linha, até que ele encoste no tecido.

Passo 5 Tendo levado o botão até o lugar certo e alinhado os furos, empurre a agulha para baixo pelo furo oposto (na diagonal ou no buraco adjacente, de acordo com os outros botões) até o avesso do tecido. Repita essa operação quatro vezes, apertando a linha o quanto for necessário para que o botão não fique balançando, mas não tanto que o tecido fique franzido. Se tiver um botão de quatro furos, vá para o outro par e repita operação.

Passo 6 Para fazer o acabamento, empurre a agulha do lado avesso para o lado direito do tecido, mas sem passar por nenhum furo do botão. Simplesmente deixe que a linha fique ao lado do botão. Puxe o botão para afastá-lo do tecido e enrole firmemente a linha em torno do pé do botão (entre o botão e o tecido), dando seis voltas.

Passo 7 Pressione a linha em torno do pé do botão. Corte o resto da linha; não é necessário dar um nó.

Passo 8 Vista a blusa e fique orgulhosa e bem-vestida.

Mais Dicas Úteis

- Procure botões sobressalentes no avesso de sua camisa. As confecções, pelo menos as de boa qualidade, costumam colocar alguns botões extras do lado de dentro, em geral na costura lateral ou na bainha.
- Se perder um botão muito visível, se não conseguir encontrar outro igual e se não souber o que fazer, tire um botão

de um lugar menos visível, por exemplo, o mais próximo da bainha ou o do punho, passando a usar a camisa com as mangas dobradas. Isso lhe dará algum tempo para substituir o botão.
- Se estiver pregando um botão em um tecido mais espesso, coloque um fósforo ou palito sob o botão e passe a linha sobre ele, para ajudar a manter a distância correta. Quando for enrolar a linha em torno do pé do botão, retire esse espaçador.

Fique na medida

"Minha mãe fazia nossas roupas. Ela comprava o tecido, mas algumas pessoas usavam sacos de farinha. Ninguém era melhor que ninguém. A gente tinha o que tinha e ponto final."

— Jean Dinsmore

Como fazer a bainha de suas calças sociais

Passo 1 Reúna o material: agulha, linha da cor da calça, alfinetes, ferro de passar, régua, tesoura e giz de costura ou lápis. Aqueça o ferro. E providencie um espelho de corpo inteiro.

Passo 2 Vista as calças muito longas e calce o par de sapatos maravilhosos que pretende usar com elas. Pelo lado de fora da perna direita, dobre a bainha para dentro de modo que o novo comprimento deixe a bainha a um centímetro do chão. Prenda a bainha com dois alfinetes, pregados no sentido horizontal, no alto da dobra e na base da dobra. (Quando nos curvamos, a calça fica mais curta, portanto, depois de pregar os alfinetes, fique de pé com o corpo ereto e os braços soltos, para conferir o comprimento.)

Passo 3 Tire as calças (opa!). Costurar só de calcinhas é divertido! Dê uma olhada dentro da perna da calça que foi dobrada; com a régua, meça o comprimento do tecido que dobrou para dentro. Usando essa medida como guia, dobre e prenda com alfinetes o tecido em torno de toda a perna. Faça o mesmo na outra perna da calça.

Passo 4 Passe a ferro a nova bainha pelo avesso da perna da calça, pressionando para formar um novo vinco. Experimente novamente a calça para garantir que terá o comprimento certo. Se estiver muito longa ou muito curta, não se preocupe! Volte ao passo 2 e faça uma nova tentativa.

Passo 5 Tire as calças, remova os alfinetes, vire a peça pelo avesso e desdobre a nova bainha. Não se preocupe — o vinco permanecerá. Depois, desmanche a bainha antiga, cortando cuidadosamente os pontos a intervalos pequenos e removendo a linha solta entre os cortes.

Passo 6 Estenda a calça, casando a costura de dentro com a de fora; a partir dos vincos que definem a nova bainha, meça 3cm (para calças de perna reta) ou 2cm (para calças justas ou boca de sino). Marque essa distância em vários pontos, usando giz de costura ou lápis, ligue os pontos com a régua e corte a sobra de tecido com a tesoura. Dobre para dentro da nova borda 1cm de tecido e passe a ferro o novo vinco, para que a bainha fique bonita e correta. (Essa trabalheira toda vai ajudar a evitar bainhas desfiadas.)

Passo 7 Agora que se livrou do excesso de tecido, torne a dobrar a bainha para dentro; usando o vinco como guia, torne a prender a bainha, espetando de vez em quando um alfinete perpendicular à nova bainha.

Passo 8 Meça mais ou menos 1 metro de linha, aproximadamente a distância entre o nariz e a ponta dos dedos. (Se tiver braços muito curtos, gire a cabeça para a esquerda enquanto mede a linha esticando o braço direito, para aumentar a distância. Se tiver um nariz anormalmente grande, pode sobrar linha, mas isso não será problema.) Passe pelo buraco da agulha a ponta da linha que você cortou do carretel e puxe o fio até que essa ponta tenha o dobro do comprimento da outra. (Isso vai ajudar a evitar que a linha forme nós.) Você vai costurar com apenas uma perna da linha, portanto, em vez de dar um nó juntando as duas pernas, faça apenas um pequeno nó na ponta da perna mais comprida, deixando solta a perna mais curta.

Passo 9 Ooobaaa! Finalmente, vamos costurar. Passe a agulha por baixo da borda da nova bainha, bem na ponta, e puxe a agulha através do tecido (o nó vai ficar escondido embaixo da bainha.) Avance ao longo da bainha o equivalente à largura do seu dedo mindinho e faça o primeiro ponto, pegando com a agulha apenas alguns fios do tecido da perna da calça (logo acima da dobra) e passando a agulha para cima, através da dobra da bainha. Avance 1cm e repita. Tome o cuidado de pegar com a agulha apenas alguns fios do tecido da perna da calça; dessa forma, os pontos serão quase invisíveis.

Passo 10 A cada três pontos completos, prenda a costura tornando a passar a agulha e a linha através da dobra, antes de continuar. (Esse truque evita que a bainha inteira seja desmanchada se por acaso o salto do sapato ficar preso nela.)

Passo 11 Depois de costurar toda a volta da perna da calça, passe a agulha através da dobra, como fez a cada três pontos, faça uma alça de linha e passe a agulha por dentro da alça para fazer um nó. Repita a operação duas vezes e corte a sobra da linha.

Passo 12 Vire a calça pelo lado direito, passe a bainha a ferro mais uma vez para que fique perfeita e pronto: pode se exibir.

Mais Dicas Úteis

- Não puxe demais a linha para que a bainha não fique franzida!
- Se não encontrar uma linha da mesma cor do tecido, use sempre um tom mais escuro, em vez de mais claro. A costura ficará menos visível.

Passe bem

*"Quando digo que passávamos as roupas,
quero dizer que passávamos tudo o que era lavado,
inclusive os lençóis e as roupas íntimas!"*

— Grace Fortunato

Como passar uma camisa a ferro

Passo 1 Abra a tábua de passar em um lugar limpo, amplo e próximo de uma tomada. Encha o ferro a vapor com água e ligue-o. Regule a temperatura desejada, de acordo com as recomendações da etiqueta da camisa. Se o ferro estiver muito quente, queimará a roupa. Se estiver muito frio, você perderá a guerra contra os amassados.

Passo 2 Levante o colarinho como se estivesse em 1983. Estenda a camisa desabotoada sobre a tábua de passar, com o direito do tecido para cima, e estenda o colarinho. Usando pequenos movimentos circulares, passe o colarinho a ferro, do centro para as pontas. Vire-o pelo avesso e repita a operação.

Passo 3 Passe a pala. Encaixe o ombro da camisa na extremidade pontuda da tábua e passe a ferro o pedaço de tecido que liga o colarinho ao corpo da blusa. Troque o ombro e repita.

Passo 4 Passe as mangas. Alinhe a costura da parte inferior da manga direita, da cava até o punho; estique a manga sobre a tábua de passar. Passe o ferro em pequenos círculos do ombro até o punho (sem passar o punho).

Passo 5 Junte os punhos. Estique-os sobre a tábua de passar e passe o ferro sobre eles, de uma extremidade à outra. Vire o punho e repita. Se os punhos forem duplos, dobre-os e passe a dobra a ferro para vincá-los.

Passo 6 Passe a frente e as costas da camisa. Se você for destra, arrume o lado direito da frente da camisa sobre a tábua, com o colarinho voltado para o lado pontudo, deixando o resto da camisa pendurado à sua frente. (Se for canhota, comece pelo lado esquerdo da camisa.) Trabalhe com o ferro em pequenos movimentos circulares, do ombro para a bainha. Gire a camisa sobre a tábua e passe as costas. Gire novamente para passar o lado esquerdo da frente.

Passo 7 Use imediatamente ou pendure a camisa num cabide, de preferência de madeira.

Mais Dicas Úteis

- Só passe a ferro camisas limpas. Se passar uma peça suja, poderá fixar as manchas para sempre.
- Borrife com água as dobras mais teimosas, antes de passá-las.
- Para passar o ferro em torno dos botões, introduza a parte pontuda do ferro entre dois botões, fazendo um ângulo para cima e para baixo a cada passagem. Não passe o ferro sobre os botões, para não quebrá-los.

Proteja seus dedinhos

*"Eu tentava cerzir as meias furadas do meu marido.
O cerzido sempre acabava ficando irregular, mas os pés
dele ficavam aquecidos."*

— Sue Westheimer Ransohoff

Como cerzir meias de lã

Passo 1 Pegue uma agulha de cerzir (ou seja, uma agulha de tapeçaria, de ponta larga) e um pouco de lã da cor da sua meia furada — ou de outra cor, se você for um tanto original.

Passo 2 Meça mais ou menos um metro de fio, esticando-o do nariz até a ponta dos dedos, e mais um pouco, e passe o fio pelo buraco da agulha de modo que uma ponta fique comprida e a outra tenha apenas alguns centímetros.

Passo 3 Vire a meia pelo avesso e coloque dentro dela um ovo de cerzir (se não tiver um, pode usar uma bola de tênis ou de golfe). Estique delicadamente o buraco da meia sobre a curva de cima do ovo de cerzir ou da bola, de modo a ter uma boa visão dos danos.

Passo 4 Em torno do buraco, faça um alinhavo circular com um diâmetro 2cm maior que o buraco, passando a agulha por cima e por baixo de cada ponto da meia.

Passo 5 Cubra o buraco com um tecido tramado: começando, por exemplo, pela esquerda, faça uma costura por cima e por baixo de cada ponto tricotado, indo da parte inferior até a parte superior do círculo. Quando chegar ao topo, deixe uma pequena folga (para que a meia não perca a flexibilidade), passe para a próxima fila de pontos à direita e alinhave o caminho de volta até a base do círculo. Dê a volta e repita. Dependendo da grossura da meia, provavelmente você irá alinhavar algumas filas antes de chegar ao furo da meia. Quando alinhavar as colunas interrompidas pelo buraco, simplesmente passe o fio sobre ele e continue alinhavando. O resultado será um conjunto de fios paralelos sobre o buraco.

Passo 6 Uma vez tendo atravessado o furo em uma direção, faça um giro de 90 graus e passe a agulha por cima e por baixo dos pontos anteriores, até que o buraco (e o círculo de 1cm em torno dele) fique tampado por um tecido tramado.

Passo 7 Corte a ponta do fio (nada de nós embaixo dos dedos!), vire a meia pelo direito, calce-a, mexa os dedos e imagine o toque de sininhos. Seus dedinhos agora estão muito felizes!

Mais Dicas Úteis

- Para enfiar a linha na agulha com mais facilidade, segure a agulha na mão direita, enrole uma ponta do fio em torno do buraco da agulha e junte as duas pontas do fio, mantendo-o

esticado com o indicador e o polegar da mão esquerda. Deslize a agulha com a mão direita, pressione o buraco da agulha sobre o fio que você está segurando com o polegar e o indicador da mão esquerda e puxe o fio pelo buraco da agulha. *Voilà!*
- Você pode até fazer uma maluquice: usar lã de uma cor para os alinhavos numa direção e de outra cor para os alinhavos na outra. Dedique um minuto ou dois a pensar no magnífico resultado!
- Para meias mais finas, em vez de lã, use linha de bordado.

Amarre-se

"Compre coisas duráveis e clássicas. Não se deixe seduzir pelos modismos. Se tiver um vestido básico, use-o com joias bonitas ou com uma echarpe. Você pode trocar essas coisas e o vestido vai parecer diferente cada vez que for usado."

— Beatrice Neidorf

Como usar um cachecol

Nó clássico (para dias pouco frios ou produções mais informais)

Passo 1   Passe o cachecol em torno do pescoço, equilibrando as duas pontas.

Passo 2   Dê um nó simples: cruze uma ponta sobre a outra, puxe-a para cima, passe-a pelo buraco junto do pescoço e deixe-a cair em dobras elegantes. É fácil, concordo, mas às vezes menos é mais.

Transpassado (para dias frios ou produções confortáveis)

Passo 1   Passe o cachecol em torno do pescoço, deixando o lado esquerdo 30cm mais longo que o direito.

Passo 2   Com a mão direita, pegue o lado esquerdo do cachecol, mais longo, enrole-o em torno do pescoço e deixe-o cair sobre o lado direito. Para aquecer mais, dê mais uma volta em torno do pescoço.

Nó parisiense (para dias extremamente frios ou produções muito chiques)

Passo 1 Dobre o cachecol ao meio no sentido do comprimento e passe-o em torno do pescoço.

Passo 2 Puxe as pontas soltas por dentro da laçada da outra extremidade. U-lá-lá!

Mais Dicas Úteis

- Use um cachecol para dar mais calor *e* textura a qualquer traje. Experimente combinar um cachecol de lã com uma elegante jaqueta de couro ou uma echarpe de seda com um casaco de tricô.

Use as mãos

"Se alguma peça já não tinha mais conserto, ela podia acabar virando um pano de pó. Nunca jogávamos nada fora."

— Alice Loft

Como fazer um avental

Passo 1 Pegue uma fronha velha e simpática que você não usa mais (de preferência sem manchas de baba ou sem um desenho do Scooby-Doo) e corte-a ao meio, no sentido do comprimento. O lado aberto vai formar o corpo do avental. Reserve-o.

Passo 2 Estique o lado fechado da fronha sobre uma superfície plana e corte-o novamente ao meio no mesmo sentido. Você ficará com dois pedaços: um fechado numa ponta e outro aberto dos dois lados. Reserve o lado fechado. Você poderá usá-lo mais tarde para fazer bolsos ou, se preferir, para tirar o pó dos móveis.

Passo 3 Deite o pedaço aberto sobre uma superfície plana e mais uma vez corte-o ao meio no mesmo sentido. Você ficará com duas alças finas. Corte cada uma ao longo de uma das costuras, ficando com duas tiras finas e longas de tecido. Elas serão as tiras do avental.

Passo 4 Junte as duas tiras longas, com o lado direito de uma sobre o lado direito da outra, e emende uma das pontas, costurando-a com linha dupla, de modo a ficar com uma tira muito longa. Eis como fazer uma costura simples (mas resistente) usando o ponto atrás: empurre a agulha para o avesso do tecido; traga a agulha de volta ao lado direito, alguns milímetros à frente. Empurre a agulha de volta para o avesso através do primeiro buraco e traga-a de volta ao direito do tecido alguns milímetros à frente do segundo buraco. Passe a agulha para o avesso pelo segundo buraco e de volta ao direito alguns milímetros à frente do terceiro buraco. Repita essa operação, avançando e recuando. Quando chegar ao fim, faça alguns pontos no mesmo lugar, passe a agulha pela laçada de linha e corte a sobra da linha.

Passo 5 Deite a tira, agora muito longa, com o lado direito para baixo, centrando-a sobre o corpo do avental — a metade aberta da fronha. O lado cortado do avental deve ficar do lado da tira e o lado bem-acabado deve ficar na barra.

Passo 6 Dobre a tira ao meio sobre a borda do avental, enfiando para dentro as bordas cortadas, e prenda-a com alfinetes. Continue dobrando, enfiando e pregando com alfinete todo o comprimento da tira do avental; começando por uma das pontas, costure a tira com linha dupla, usando o ponto atrás. Não se esqueça de fechar também as pontas da tira! Se estiver se sentindo poderosa, passe também uma costura de ponto atrás ao longo do lado fechado da tira do avental, para dar um acabamento mais perfeito.

Passo 7 Experimente sua criação e sinta-se inspirada! Esse é o momento perfeito para fazer uma torta! Hummm! É engraçado como isso *sempre* acontece.

Mais Dicas Úteis

- Para fazer um avental mais longo, no passo 1 ajuste o corte de modo que o lado aberto da fronha fique com o comprimento desejado.
- Se quiser fazer bolsos, corte os cantos do pedaço fechado da fronha, que você guardou no passo 2. Dobre, alfinete e costure os lados cortados para dentro. Então pregue os bolsos no avental com alfinetes e costure três lados do bolso, deixando aberta a parte de cima. Se quiser sofisticar ainda mais, use sobras de tecido para fazer lapelas ou coloque um botão bonito na borda de cada bolso.
- Não tem uma fronha velha? Então improvise. Você pode transformar quase tudo num avental, inclusive panos de prato velhos, lençóis ou toalhas de mesa. Seja criativa!

Melhore a emenda

"A irmã da minha mãe era uma excelente costureira. Ficávamos loucas pelas roupas que ela fazia!"

— Ruth Rowen

Como pregar um remendo

Passo 1 Junte o material: agulha e linha, tesoura, uma régua e um ferro de passar, que é melhor ligar logo. Também escolha um tecido para o remendo. Decida se prefere um remendo discreto ou escandaloso. Se for uma filha da terra, escolha um tecido florido. Se gosta de rock, use um estampado de zebra. Se for fã da banda Journey, deixe o remendo para lá.

Passo 2 Meça o buraco que vai cobrir e some 2cm para cada lado; meça e corte o remendo, usando os números mágicos e o acréscimo. Por exemplo, se o buraco medir 5cm por 5cm, corte um quadrado de 7cm por 7cm.

Passo 3 Coloque o remendo com o lado direito para baixo sobre a tábua de passar (ou em cima de uma toalha grossa sobre a mesa ou no chão). Faça de cada lado uma dobra com 0,5cm (se tiver à mão um giz, essa operação será facilitada). Passe as dobras a ferro para fazer bordas mais perfeitas.

Passo 4 Ajuste o pedaço de tecido em cima do buraco e prenda-o com alfinetes pregados em paralelo à borda do remendo.

Passo 5 Corte um pedaço de linha com o dobro do comprimento do seu braço, enfie na agulha, iguale as duas pontas da linha e faça um nó. Diga: "De novo?" Sim, faça outro nó. Corte a sobra da linha.

Passo 6 Passe a mão por dentro da roupa — ou seja, da perna da calça ou da manga do casaco — para evitar que a costura prenda o outro lado da peça, fechando-a. Enfie a agulha embaixo do canto do remendo (sem perfurar a peça que está remendando) e puxe toda a linha, para esconder o nó.

Passo 7 Tal como quando fez a bainha da calça (ver página 126), agora passe a agulha por dentro de alguns fios do tecido da roupa que está remendando, bem junto à borda do remendo, e depois passe a agulha através da borda do remendo, fazendo um ponto a cada 0,5cm.

Passo 8 Depois de cada grupo de três pontos, faça um remate no trabalho, passando mais uma vez a agulha e a linha pelo bordo do remendo, antes de continuar. (Dessa forma, se o remendo ficar preso em alguma coisa, terá menos probabilidade de se soltar completamente.)

Passo 9 Quando fizer o último ponto, passe a agulha por dentro da laçada de linha resultante, antes de puxar a linha completamente. Repita essa operação três vezes e corte a ponta da linha. Está pronto!

Mais Dicas Úteis

- Os melhores remendos são os que têm densidade e textura semelhantes às do tecido que você está remendando. Esse aviso provavelmente é desnecessário, mas, por via das dúvidas, aqui vai: a não ser que esteja num beco sem saída, nunca faça um remendo de brim em uma calça de lã ou um remendo de seda numa calça jeans.
- Para camuflar melhor a costura, escolha uma linha da cor do remendo.
- Se você adorar um pedaço de tecido e não quiser perdê-lo, guarde-o para fazer um remendo!

Evite os impropérios

"Sim, nós usávamos água fervente para remover manchas de frutas. Eu ainda faço isso. E ainda ensino isso a outras pessoas. E funciona! Ainda funciona!"

— Lucile Frisbee

Como remover a maioria das manchas

De gordura, vinho tinto ou café

Passo 1   Misture 1/4 de xícara de vinagre branco com 1/4 de xícara de água fria. Dissolva nessa mistura uma colher de chá de sabão para lavar roupas.

Passo 2   Aplique a solução sobre a mancha e enxugue com uma toalha de papel.

Passo 3   Enxágue com água fria.

De sangue

Passo 1   Veja se você ainda está sangrando. Se estiver, esqueça as roupas e procure ajuda. Se não estiver, vá em frente.

Passo 2 Dissolva 1 colher de chá de sabão para roupas delicadas e 1/2 colher de chá de amônia em 1/2 xícara de água gelada.

Passo 3 Aplique a solução com uma toalha de papel e enxágue com água fria.

Passo 4 Se a mancha não sair, misture 1 xícara de sal com 2 litros de água fria e deixe a roupa de molho nessa solução.

De frutas vermelhas

Passo 1 Ferva uma chaleira de água.

Passo 2 Estenda a roupa manchada sobre um balde.

Passo 3 Afaste-se um pouco e, segurando a chaleira a uns 30cm do balde, despeje a água fervente através da mancha. O calor e a força da água devem levar os vermelhos e roxos diretamente para o balde.

De tinta à base de água

Passo 1 Esprema o suco de um limão sobre a mancha.

Passo 2 Exponha a roupa à luz solar.

Passo 3 Repita, se necessário.

De batom

Passo 1 Se o batom não estiver na sua camisa, examine-o bem. É da cor que você usa? É melhor que seja!

Passo 2 Aplique uma quantidade mínima de vaselina branca sobre a mancha e limpe-a com uma toalha de papel.

Passo 3   Enxágue com aguarrás ou, se não for a alterar a cor, com água oxigenada.

De lama

Passo 1   Deixe a lama secar e raspe delicadamente a maior quantidade possível.

Passo 2   Aplique álcool isopropílico (ou etanol) sobre a mancha de lama e enxugue-a com uma toalha de papel.

Mais Dicas Úteis

- Na dúvida, deixe de molho em água fria.
- Acha que é preciso usar água sanitária? Experimente antes expor a roupa ao sol. É de graça, é estimulante e quase sempre clareia mais do que qualquer água sanitária.

Lustre sua imagem

"Eu queria meus sapatos bem engraxados porque me sentia melhor assim. Sapatos brilhantes e roupas limpas eram as únicas coisas de que podíamos nos orgulhar."

— Elouise Bruce

Como engraxar os sapatos

Passo 1   Limpe os sapatos, principalmente os calcanhares e as solas, com um pano macio de algodão para remover toda a poeira e a terra.

Passo 2   Enrole um pano macio de algodão ou uma meia velha (limpa) em torno dos dedos indicador, médio e anular.

Passo 3   Mergulhe o pano em uma xícara de água à temperatura ambiente, passe-o na graxa de sapatos e mergulhe-o novamente na água. Ele deve ficar úmido, não encharcado.

Passo 4   Coloque a outra mão dentro do sapato, para dar estabilidade, e comece a aplicar a graxa, da ponta do pé para o calcanhar, em pequenos movimentos circulares. Passe a graxa várias vezes sobre a mesma área antes de avançar para a próxima.

Passo 5 Depois de engraxar todo o sapato, umedeça um pano limpo e passe-o uniformemente por todo o calçado, para evitar manchas.

Passo 6 Deixe o sapato secar durante 10 minutos.

Passo 7 Puxe o brilho nos dois lados do sapato com uma escova de crina ou uma flanela. (Se não tiver nenhuma das duas, uma meia-calça funciona maravilhosamente bem.)

Passo 8 Para dar mais brilho, sente-se, prenda o sapato entre os joelhos e, segurando com as duas mãos a meia-calça ou a flanela, passe-a de um lado para o outro sobre a ponta do sapato. Para ficar ainda mais legal, dê um golpe seco com o pano. (Aviso: a meia-calça não estala muito bem.)

Uma Dica Útil

- Trate os arranhões com um creme dental que não seja em gel ou clareador. Aplique uma pequena quantidade do creme dental com um pano úmido. Remova completamente.

Adote uma boa costura

"Ainda me lembro do primeiro vestido comprado para mim. Eu tinha 10 anos. Ele era de algodão, com um lindo estampado verde e florido e com cintura baixa. Eu me senti o máximo."

— ALICE LOFT

Como comprar roupas de qualidade

Passo 1 Respire fundo antes de correr para a caixa da loja. Mesmo que a oferta seja magnífica ou a marca seja famosa, você quer roupas que durem mais do que algumas lavagens.

Passo 2 Examine muito bem a roupa, em busca de furos, rasgões ou manchas.

Passo 3 Examine o tecido. Se o pano for texturizado ou estampado, veja bem se o padrão está harmonizado dos dois lados das costuras.

Passo 4 Estique delicadamente a roupa. Se a costura resistir e a peça voltar à forma original, siga em frente. Se a costura ceder ou a peça ficar deformada, coloque-a de volta no cabide, ponha as mãos nos bolsos e saia discretamente, assoviando baixinho. Tente não arregalar demais os olhos: eles te entregarão em um minuto.

Passo 5 Examine o avesso para conferir as costuras. Elas devem ser retas e as bordas do tecido devem ser bem-acabadas e não desfiadas. Se parecer que uma criança cortou a peça com um par de tesouras de jardinagem, provavelmente isso aconteceu. Devolva a roupa e imediatamente mande dinheiro para alguma organização de combate ao trabalho infantil (veja na página 256 como ter dinheiro para contribuir com instituições de caridade).

Passo 6 Confira os fechos. Teste o zíper. Puxe as presilhas. Os botões devem estar firmes e devem entrar com facilidade nas casas correspondentes. Verifique se isso acontece e se as casas são bem-acabadas ou se são apenas buracos no tecido.

Passo 7 Experimente a roupa. Roupas bem-feitas têm um caimento melhor e você usará muito mais uma peça que valorize sua aparência.

Passo 8 Reserve a roupa e dê uma volta. Se depois disso você ainda quiser, se precisar e se puder pagar por ela, feche o negócio, segura de estar comprando qualidade.

Mais Dicas Úteis

- Se a roupa for forrada, verifique se o forro tem um caimento reto e se é flexível.
- Confira o tamanho da bainha para ter certeza de que é possível fazer alguma alteração necessária.

Dê um rolé

"Ninguém passava roupas adiante. Elas eram guardadas no sótão. Assim, quando fiz 14 anos, saqueei o sótão e recuperei as roupas velhas da minha mãe e das minhas tias. Elas tinham peças de veludo e cetim. Eu me lembro de um elegante vestido com mangas de organza, que peguei para mim."

— Mildred Kalish

Como arrumar a mala

Passo 1   Veja qual é o clima no local de destino e conheça o itinerário.

Passo 2   Faça uma lista de desejos. Reúna sobre a cama todas as roupas que gostaria de levar. Não esqueça as roupas íntimas, meias, roupas de praia, pijamas, um cinto, uma roupa de festa e um ou dois casacos para o caso de fazer frio. Partindo do princípio de que você vai viajar com sapatos confortáveis, inclua pelo menos um ou dois pares a mais (por exemplo, sandálias e um sapato social). Examine durante um minuto o fruto desse trabalho e respire fundo, sabendo que na verdade não terá de carregar tudo o que está vendo.

Passo 3   Diminua a pilha. Sem piedade, submeta cada peça, exceto a roupa de baixo, as meias e o vestido favorito de festa, ao teste de praticidade: se alguma delas só puder ser usada em uma única produção, devolva-a para o armário. Você poderá usá-la novamente quando voltar para casa.

Passo 4   Arrume no fundo da mala, em um saco de plástico, todos os artigos de toalete. Observação: se você vai levar a mala como bagagem de mão no avião, coloque seus artigos de toalete em um saco de plástico pequeno (cada recipiente deve conter no máximo 30ml) e carregue-os na bolsa até passar pela revista de segurança.

Passo 5   Dobre as calças compridas ao meio no sentido do comprimento e empilhe-as, começando pela que amarrota mais (embaixo) e seguindo até a que menos amarrota (em cima). Começando pela bainha, enrole todas as calças juntas até formar um cilindro apertado. Coloque esse rolo na mala com a ponta para baixo. Faça o mesmo com as camisetas, blusas e vestidos leves.

Passo 6   Dobre as blusas mais elaboradas e os casacos e deite-os sobre os rolos.

Passo 7   Ponha dentro dos sapatos as meias e outros acessórios pequenos, como cintos e baterias. Então, arrume os sapatos em sacos plásticos na parte de cima da mala.

Passo 8   Enrole as roupas de baixo e enfie-as em qualquer espaço que ainda esteja disponível, evitando colocá-las dentro dos sapatos.

Passo 9   Feche a mala e boa viagem!

Mais Dicas Úteis

- No trajeto, use as roupas e os sapatos mais volumosos, para economizar espaço na mala.
- Sempre leve *menos* do que o que acha necessário. É provável que você acabe por usar o mesmo jeans ou vestido favorito na maioria dos dias. Não é bom ficar sobrecarregada de bagulhos quando sai para explorar o mundo.
- Caso não pretenda desfazer a mala quando chegar ao destino, conservando as roupas dentro dela, é interessante enrolar juntas as peças de cada produção, em vez de enrolar calças com calças e camisetas com camisetas. Dessa forma, você poderá tirar da mala apenas um rolo de cada vez, sem fazer muita bagunça.
- Na dúvida, leve roupas de cores neutras e lisas, em vez de estampadas, para poder misturar e combinar as peças com mais facilidade. Acha muito burocrático? Enfeite com acessórios.
- Se você pretende trazer lembranças, leve na mala uma sacola pequena e vazia. Você pode enchê-la e carregá-la consigo quando voltar para casa.
- Não leve objetos de valor e embale as bijuterias num saco de plástico com fechamento, que você pode colocar dentro de um sapato. Deixe o fecho do colar do lado de fora do saco, para evitar que ele embarace.

5

No ninho

Tenha orgulho de seu espaço.
Use a imaginação e transforme sua casa em um lar.

Ponha lenha na fogueira

"Tínhamos um grande fogão a lenha que esquentava a cozinha e a sala de estar. O fogo nos mantinha aquecidos. Nós o alimentávamos com lenha quando precisávamos dele aceso ou deixávamos que apagasse quando não queríamos mais usá-lo."

— Alice Loft

Como acender o fogo

Passo 1   Reúna o material: alguns palitos de fósforo longos, folhas de jornal (de preferência as que já tenham sido lidas), gravetos finos (ou material facilmente inflamável), gravetos mais grossos e dois ou três pedaços de lenha seca de 30cm a 50cm de comprimento. Opcional, mas altamente aconselhável: um saco de marshmallows e uma vareta longa que servirá como espeto para assá-los.

Passo 2   Amasse algumas folhas de jornal e ponha as bolas de papel no lugar onde vai acender o fogo. Não aperte demais a bola de papel pois isso impede a circulação do oxigênio, o que apagará o fogo.

Passo 3   Arrume os gravetinhos em pé em torno da bola de papel, formando uma pirâmide.

Passo 4 Sobre essa estrutura, equilibre com cuidado de três a cinco pedaços dos gravetos mais grossos.

Passo 5 Com cuidado para não derrubar nem abafar essa bela estrutura, empilhe cuidadosamente sobre ela alguns pedaços de lenha.

Passo 6 Liberte a piromaníaca que existe dentro de você (o que não deverá ser difícil), acenda um fósforo e, começando pela base da pilha, acenda a parte de baixo do papel em vários pontos.

Passo 7 Esfregue as mãos e leve-as para junto do fogo, para aquecê-las. Vire as costas e aproxime o bumbum do fogo. Ele ficará ainda mais quente se você der uma reboladinha.

Mais Dicas Úteis

- Se estiver acendendo o fogo em uma ladeira, não se esqueça de abrir o registro para que sua casa não fique cheia de fumaça! Se sentir que está descendo ar frio pela chaminé, acenda um pedaço de jornal e segure-o na direção do fundo da lareira. Quando ficar mais quente, o ar começará a subir e empurrar a corrente fria para cima.
- Madeiras duras como carvalho, peroba, cerejeira, mogno e cedro demoram mais a queimar e produzem mais calor e menos resíduos que as madeiras macias e resinosas como o pinho e o abeto, que também podem aumentar o risco de incêndio na chaminé.
- A lenha guardada por um período de seis meses a um ano dá melhor combustão. A madeira nova, mais verde, tem muita umidade, produzindo mais fumaça e aumentando o risco de

incêndio na chaminé. Para identificar a lenha madura, procure uma madeira leve, com as pontas rachadas e escurecidas. Bata dois pedaços de madeira um contra o outro. Se ouvir um som oco, a madeira está pronta para queimar. Se ouvir um som cheio, ela ainda está muito nova.

Seja calorosa

"Minha mãe tricotava cachecóis e luvas para nós. Eles eram muito mais quentes do que qualquer artigo à venda. Até hoje tenho alguns deles."

— Grace Fortunato

Como tecer um cachecol

Passo 1 Escolha o fio, levando em conta o material (a lã de carneiro é mais quente, porém a lã de alpaca é a mais macia), a cor (vermelho é sempre uma boa escolha) e a **espessura** (quanto mais grosso for o fio, mais rápido será tecer o cachecol). Você também **precisará de agulhas.** Veja na etiqueta da linha qual o tamanho (ou **espessura)** recomendado para a agulha. Quanto mais grossa for a **agulha,** mais rápido será o trabalho.

Passo 2 Respire profundamente e siga cada um dos passos, instrução por instrução. Fazer tricô pode parecer complicado, mas você pegará o jeito bem depressa. Se quiser instruções visuais, consulte o site auladetrico.typepad.com.

Passo 3 Para montar os pontos (começar o trabalho), faça com a mão esquerda um gesto com a palma para dentro, como se

Como pregar um botão

fosse atirar em alguém com o dedo; passe a ponta solta do fio por cima do polegar e a ponta do lado do novelo sobre o indicador; com os dedos restantes da mão esquerda, segure as duas pontas do fio contra a palma da mão. Segurando uma agulha na mão direita, enfie a ponta da agulha entre os dedos e prenda o fio contra a agulha com o indicador da mão direita. Puxe o fio para baixo na direção da palma da mão para formar duas laçadas (uma sobre o polegar e a outra sobre indicador). Enfie a ponta da agulha, de baixo para cima e pelo lado de fora do polegar esquerdo, para atravessar a laçada do polegar. Mantendo a laçada do polegar na agulha, leve a ponta da agulha para a laçada direita, empurre a agulha de cima para baixo por dentro dela, puxe-a para dentro da laçada do polegar, agora muito grande, e deixe o fio deslizar para fora do polegar. Puxe a agulha em sua direção para apertar o ponto (sem exagero!), torne a passar o polegar embaixo do fio, reproduzindo a posição inicial, e repita até ter montado pontos suficientes para a largura que deseja para seu cachecol. Conte o número de pontos. Você provavelmente terá alguma coisa entre 12 e 25 pontos.

Passo 4 Prepare-se para tricotar! Segure com a mão esquerda a agulha em que montou os pontos, com os pontos para o lado esquerdo. Passe o indicador da mão esquerda por baixo do fio e enrole uma volta do fio em torno desse dedo. Então, mantendo o indicador estendido, segure a agulha entre o polegar e os outros dedos da mão esquerda. Enfie a ponta da agulha direita pela frente do primeiro ponto da agulha esquerda. Usando o indicador da mão direita, segure delicadamente a laçada contra a agulha direita (você saberá que fez corretamente o movimento se as pontas das duas agulhas ficarem cruzadas, com a agulha esquerda por cima da direita e a ponta do fio do lado esquerdo). Enfie a ponta da agulha direita embaixo do novo fio, puxe-o por dentro do ponto da agulha esquerda e deixe esse ponto escorregar para fora da agulha esquerda. Você terá um novo ponto na agulha direita. Repita essa operação até chegar ao fim da carreira. Confira o trabalho, contando o número de pontos que agora estão na agulha direita. Se tiver o mesmo número de pontos que montou, você fez tudo certo. Passe para a mão esquerda a agulha com os pontos que acabou de fazer e repita esses movimentos até que seu cachecol tenha o tamanho desejado.

Passo 5 Para finalizar o cachecol (fazer o arremate), você vai brincar de pular carniça com o fio. Depois de tecer os dois primeiros pontos da última carreira, use a ponta da agulha esquerda (ou os dedos) para pegar o primeiro ponto da agulha direita, passá-lo sobre o segundo ponto e deixá-lo escorregar da ponta da agulha. Então teça mais um ponto, pegue o ponto anterior e passe-o sobre o ponto mais recente e deixe-o escorregar para fora da agulha. Repita até ter fechado a carreira inteira.

Passo 6 Usando uma agulha de tapeçaria, esconda as duas pontas de fio nas duas extremidades do cachecol, costurando-as para dentro dos pontos.

Passo 7 Enrole o cachecol, embrulhe-o com papel, coloque um laço bem grande e faça dele um presente para alguém que ama. Não existe no mundo presente melhor que um cachecol feito à mão!

Mais Dicas Úteis

- Para seu primeiro projeto, use um fio rústico. Sua textura variável ajudará a esconder qualquer defeito.

- Comece com calma. Logo isso vai se tornar natural.
- Se você desistir antes da hora, guarde o projeto para depois ou faça o arremate e dê parabéns a si mesma por ter tecido um maravilhoso pegador de panelas.

Junte os pedaços

"Minha avó nos deu algumas colchas de retalhos que usamos até virarem farrapos. Elas eram passadas de uma pessoa para outra até ficarem esfiapadas; mesmo assim, continuávamos a usá-las no verão."

— ALICE LOFT

Como fazer uma colcha de retalhos

Passo 1 Reúna o material: uma cesta de retalhos de pano (de qualquer tamanho e tipo), uma pilha de quadrados de morim com 30cm de lado, tecido para forro, uma metragem de manta de algodão ou manta acrílica do tamanho da colcha que irá fazer, fita métrica, alfinetes, uma agulha nº 9 para quilting,* linha de algodão mercerizada, agulha para bordado, linha para bordado, linha para crochê e tesoura. (Para uma colcha infantil, com 90cm por 1,20m, você precisará de 12 quadrados de morim; para uma colcha de solteiro, com 1,50m por 2,40m, precisará de 40 quadrados; para uma colcha de casal, com 2,40m por 2,70m, precisará de 72 quadrados.)

Passo 2 Enfie a linha na agulha e iguale as pontas. Faça um nó nas pontas da linha e comece a construir sua colcha, pedaço

---

* Um tipo de trabalho manual feito com pedaços de tecido costurados. (*N. da E.*)

por pedaço. As colchas de retalhos sem um desenho definido são extremamente bonitas justamente por não seguirem um padrão. Você pode inventar o desenho à medida que trabalha! Comece por colocar um pedaço de tecido, com o lado direito para cima, no centro de um bloco de morim. Então, ponha um segundo pedaço de retalho com o lado direito para baixo, em cima do primeiro, alinhando os dois pedaços por uma das bordas; prenda-os com alfinetes. (Os tecidos podem ser de tamanhos e formas diferentes, desde que tenham uma borda igual.) Costure esses lados em comum, prendendo os dois pedaços de tecido e o morim. Corte e dê um nó na linha, e vire o tecido de cima. Em seguida, pegue um terceiro pedaço de tecido com tamanho suficiente para ser ligado aos dois primeiros pedaços por uma borda comum e coloque-o, com o lado direito para baixo, em cima dos dois outros pedaços. Costure o lado comum aos três, corte qualquer excesso (o que ultrapassar 1cm) e vire. Repita essa operação até ter coberto todo o quadrado de morim. À medida que trabalha, você perceberá que cada quadrado vai ser mais fácil de completar. Seja paciente. Você pode precisar de vários dias (ou até mesmo de semanas) para terminar todos os quadrados, portanto divirta-se com eles. Ouça música, convide algumas amigas para ajudá-la, tome um vinho (ou pire de vez e prepare umas margaritas). Vale qualquer coisa que faça o barco correr!

Passo 3 Divirta-se e faça uma colcha bonita. Agora que os pedaços de pano estão presos nos quadrados de morim com uma costura simples, é hora de prendê-los de forma realmente segura e de embelezar o trabalho. Enfie numa agulha de bordado uma linha de uma cor do seu agrado e borde sobre as costuras. Para fazer um ponto de cruz básico, faça pontos na diagonal ao longo das costuras em uma direção e depois volte na direção oposta, fazendo um "x". Depois de dominar essa técnica, você pode soltar a criatividade. Quem faz colchas de patchwork costuma bordar flores, folhas, plumas e outros motivos, para prender os tecidos. Fique à vontade para experimentar! Solte a imaginação! Faça uma colcha de retalhos selvagem!

Passo 4 Agora que terminou de compor todos os seus quadrados, é hora de uni-los. Escolha dois quadrados que gostaria de ver juntos. Emende-os com linha dupla, fazendo uma costura a meio centímetro da borda. Repita essa operação até ter emendado todos os quadrados. Para uma colcha infantil, faça 3 filas de 4 quadrados. A colcha de solteiro é composta de 5 filas de 8 quadrados. Para uma colcha de casal, faça 8 filas de 9 quadrados.

Passo 5 Lave e passe a ferro o tecido do forro e estenda-o com o lado direito para baixo. Para fazer uma colcha de inverno, mais quente, cubra o forro com uma camada de manta de algodão ou manta acrílica (ou até mesmo uma velha colcha de algodão). Por cima, estenda o patchwork com o lado direito para cima.

Passo 6 Alinhe os quatro lados, vire para dentro as camadas de cima e de baixo, fazendo uma dobra de meio centímetro, prenda a dobra com alfinetes e costure-a com linha dupla.

Passo 7 Faça a amarração da colcha. Para prender a frente e as costas da colcha, prepare uma agulha com linha dupla, usando uma linha grossa para crochê. Não faça um nó. Em um canto ou no centro de cada quadrado, empurre a agulha do direito para o avesso, deixando uma ponta de 5cm de linha. Em seguida, enfie a agulha do avesso para o direito a 0,5cm do buraco anterior. Repita essa operação três ou quatro vezes, corte o fio e amarre as duas pontas com um nó duplo pelo lado direito. Viva! Está pronto! Você já pode estender a colcha sobre a cama e tirar uma soneca!

Mais Dicas Úteis

- Para sofisticar ainda mais, prenda um botão sobre cada amarração ou passe por dentro dela um pedaço de fita.
- Para aprender mais pontos e descobrir mais motivos de bordado retrô, visite a página Sublimestitching.com.
- Lembre-se de que não existe receita para fazer uma colcha de retalhos. Na verdade, as "imperfeições" são o que torna esse trabalho realmente original.

Enquadre-se

"Quando decorar sua casa, busque conforto. Fique à vontade. Se você adora quadros, use-os. Se não gosta, não use. Faça somente o que lhe agrada!"

— Ruth Rowen

Como pendurar um quadro

Passo 1   Procure o lugar ideal. Se quiser pendurar o quadro exatamente no centro da parede, meça a largura do vão e divida essa medida ao meio. Marque o centro da parede com uma pequena linha vertical (a lápis).

Passo 2   Meça a altura. Os quadros devem ficar na altura dos olhos, portanto, se sua família não for muito alta ou muito baixa, o centro da imagem deverá ficar 1,50m acima do chão. Marque essa altura com uma linha horizontal sobre a linha vertical, desenhando um "t".

Passo 3   Apoie o centro da imagem sobre esse ponto e faça uma segunda linha horizontal na altura da borda superior da moldura.

Passo 4 Examine a parte de trás da moldura. Se ela tiver um gancho para pendurar, meça a distância da borda superior da moldura até o alto do gancho. Se tiver um fio de arame, puxe-o para cima e meça a distância do alto da moldura até o ponto mais alto do arame.

Passo 5 Sobre a linha vertical correspondente ao centro da parede, a partir da linha que assinala a borda superior da moldura, marque com uma linha horizontal a distância entre o topo da moldura e o arame ou o gancho. Faça um círculo em torno desse ponto. É aí que deverá ser colocado o prego (ou, se a moldura for pesada, a parte inferior do gancho próprio para pendurar quadros).

Passo 6 Bata na parede, sobre o lugar do prego.
- O som é cheio? Se for, você está com sorte! Isso significa que existe uma viga de madeira por trás daquele ponto. Seu próximo passo será martelar um prego naquele local, fazendo um ângulo de 45 graus.
- O som da parede é oco? Nesse caso, a sorte não está ajudando! Você precisará de um gancho de pendurar quadros, escolhido de acordo com o peso de sua moldura (quanto mais pesada, maior será o gancho) ou ainda de uma bucha e um parafuso. (Se você não adotar uma dessas soluções, provavelmente seu quadro vai cair.) Se usar o gancho, ajuste a curva inferior dele sobre a marca e martele o prego. Para usar uma bucha, faça um buraco com uma furadeira, martele a bucha no buraco e aperte o parafuso, deixando uma sobra suficiente para pendurar o quadro.

Passo 7 Pendure a moldura, nivele-a e fique maravilhada com sua habilidade. Agora, passe em frente à imagem e veja se os olhos dela estão seguindo você. Se estiverem, saia correndo!

Mais Dicas Úteis

- Em uma parede de Drywall,* se não tiver certeza de haver uma viga de madeira atrás da parede, use um detector ou procure marcas de parafusos no gesso.
- Se sua moldura for leve e tiver uma alça de arame, experimente o seguinte atalho para descobrir o lugar ideal: martele um prego na ponta de um sarrafo. (Fure a madeira antes, para evitar que rache.) Pendure o quadro nesse prego e desloque a régua sobre a parede até achar o lugar ideal para o quadro. Quando achar o ponto ideal, bata com a régua na parede para que o prego marque o lugar. Coloque o prego definitivo na parede e pendure o quadro.

---

* Gesso acartonado. (*N. da T.*)

Procure conforto

"Eu dormia com minhas irmãs. Nós quatro dividíamos uma cama. Posso garantir que não dormíamos muito."

— Elouise Bruce

Como fazer um travesseiro

Passo 1   Escolha o tecido. Você pode usar qualquer pano de que goste, até mesmo sobras, desde que ele passe no teste da bochecha. Passe-o de leve sobre o rosto. Ele é macio? É áspero? Vai deixar marcas estranhas na sua pele se você dormir sobre ele? Um pouco de saliva vai estragá-lo? Muita saliva vai estragá-lo?

Passo 2   Meça o pano. Decida qual o tamanho do travesseiro e some 2cm a mais em cada lado; vire o pano pelo avesso e risque essas medidas com giz de costura ou lápis. Confira as marcações. Corte o pano com uma tesoura afiada. Repita essa operação.

Passo 3   Estenda os dois quadrados de tecido com o direito de um sobre o direito do outro, de modo que o avesso fique para cima. (Seu futuro travesseiro estará do lado de dentro.) Prenda três lados com alfinetes perpendiculares às bordas do tecido.

Passo 4 À mão ou à máquina, costure os três lados e a metade do quarto lado, deixando mais ou menos 1cm entre a borda do pano e a costura. Retire os alfinetes para não se espetar.

Passo 5 Vire a capa pelo lado direito e encha-a com fibra de poliéster, plumas de ganso, recibos antigos devidamente amassados, ou qualquer coisa que você queira.

Passo 7 Dobre para dentro as bordas da abertura, prenda-as com alfinetes e costure-as. Comemore seu travesseiro novo com um bom sono!

Mais Dicas Úteis

- Quando rechear o travesseiro, coloque um pouco de lavanda desidratada para ter um cheirinho doce, que estimula o sono.
- Se escolher um tecido estampado, antes de cortá-lo veja se os dois lados combinam.

Seja polida

"Se tivesse sorte e se desse bem, você comprava um tapete ou, quem sabe, dois tapetes pequenos. Eles protegiam o piso, mas eram muito mais do que isso: eram símbolos de riqueza. Só gente com muito dinheiro tinha tapetes."

— Ruth Rowen

Como remover arranhões do assoalho

Passo 1   Convoque o amado, os filhos ou o amigo de quatro patas. Provavelmente foi um deles que arranhou o piso, portanto é melhor que ajudem a remover as marcas. Isso é literalmente uma diversão sadia para toda a família.

Passo 2   Se já não souber isso de cor, verifique qual é o acabamento do seu assoalho. Em um cantinho, passe a unha sobre a madeira. Ela está coberta por um resíduo macio? Se isso acontecer, seu piso é encerado. Ele é duro como pedra? Então, ele é revestido com sinteco.

Passo 3   Nos pisos encerados, os arranhões podem ser polidos com palha de aço muito fina (número 0) e um solvente para pisos de madeira. Depois de polir, limpe o piso com uma toalha seca e torne a encerá-lo. Nos pisos com sinteco, restaure o brilho esfregando vigorosamente o arranhão com uma toalha de papel, uma meia velha, uma bola de tênis ou um tecido macio. Está feito!

Mais Dicas Úteis

- Para evitar arranhões no assoalho, coloque um capacho na entrada da casa. Ele ajudará a tirar da sola dos sapatos a terra que, se for trazida para dentro de casa, poderá estragar o piso de madeira. Melhor ainda é tirar os sapatos assim que entrar em casa.
- Prenda almofadas de feltro nos pés de todos os seus móveis, para evitar arranhões.
- Nos assoalhos que rangem, aplique mais cera sobre a tábua barulhenta. Nos assoalhos com sinteco, coloque talco na junção das tábuas barulhentas.

Floresça!

"Eu simplesmente trouxe flores. Ia a um jantar e queria levar flores para a anfitriã. Comprei algumas para mim também! Adoro flores. Não sou uma boa jardineira, mas gosto de flores ao meu redor."

— Sue Westheimer Ransohoff

Como montar um arranjo de flores

Passo 1   Acorde cedo. Enquanto a cafeteira prepara seu café, encha um balde de plástico com água morna; vá para o jardim com uma faca amolada, uma tesoura de podar ou qualquer objeto cortante. Colher as flores pela manhã, quando os caules estão hidratados e as flores e folhas estão orvalhadas, é a chave para ter um arranjo de flores saudável e duradouro. Um aviso: por mais bonito que esteja o jardim do seu vizinho, fique do seu lado da cerca. O perfume das flores roubadas não é tão agradável.

Passo 2   Faça uma seleção do que vai colher. No caso de flores como o girassol ou a dália, que crescem sozinhas no caule, só colha as que estiverem totalmente abertas, porque dentro de casa talvez elas não terminem de abrir. No caso de variedades em que um caule tem várias flores, escolha os ramos em que pelo menos uma flor ou um grupo de flores já abriu e as cores de todas estejam bem vivas.

Passo 3   Faça a colheita. Segurando a tesoura em um ângulo de 45 graus, corte a haste a uns 2cm da base e imediatamente mergulhe-a no balde. Prossiga até ter colhido todas as flores que deseja. Não se sinta mal por cortá-las. Podar as flores de vez em quando ajuda a planta a produzir mais.

Passo 4   Traga as flores para dentro de casa e escolha o vaso. Você pode usar qualquer tipo de recipiente: garrafas velhas, potes de conserva, xícaras ou regadores que não usa mais.

Passo 5   Encha os vasos com um conservante de flores feito em casa. Misture 1 litro de água morna com: 2 colheres de chá de suco de limão e 1 colher de chá de açúcar; ou 2 colheres de chá de suco de limão e 1 colher de chá de água sanitária; ou 2 colheres de chá de açúcar; ou ainda 2 colheres de chá de vinagre branco. Há uma exceção: flores cujo caule tende a se inclinar, como as tulipas ou íris, preferem água fria.

Passo 6   Apare os caules. As flores não devem ultrapassar o tamanho do vaso em mais do que um terço, para que o vaso não tombe, portanto diminua o comprimento das flores, se necessário. Corte as folhas que ficariam dentro d'água. Então, faça as flores beberem, seguindo as seguintes regras de corte:

Nos caules comuns, corte a ponta em um ângulo de 45 graus. As flores de caule fibroso, como as rosas e os lilases, devem ter o caule dividido por meio de um corte vertical. Nunca esmague o caule. Com as flores de caule oco, como a esporinha e a gérbera, proceda da seguinte forma: faça um corte reto, vire o caule para cima, encha-o com água, cubra o corte com o polegar, mergulhe o caule no vaso com água e retire o polegar.

Passo 7 As flores devem ser dispostas em ângulo, trabalhando da borda para o interior do vaso, tendo o cuidado de equilibrar todos os lados. Termine o arranjo pela flor do centro.

Passo 8 Ponha o arranjo de flores onde ele possa dar mais alegria, porém longe do sol e das correntes de ar. Agora, veja se seu café está pronto e tenha um bom dia!

Mais Dicas Úteis

- Troque a água das flores a cada dois dias.
- Quando as flores começarem a murchar, corte novamente o caule, transferindo-as para vasos menores.
- Não encha demais o vaso. Se tiver sobras, você pode colocá-las em vasos individuais ou, melhor ainda, dá-las de presente para um vizinho ou para alguém que você ama.

Use a imaginação

"Tínhamos um jardim e sempre preparávamos buquês. Até hoje fazemos isso. As flores são importantes na decoração da casa."

— Lucile Frisbee

Como decorar com flores prensadas

Passo 1 Em um dia de sol, vá ao jardim no início da tarde, depois que o orvalho já evaporou, mas antes que as flores comecem a fechar ou murchar. Escolha as flores que gostaria de secar e corte-as junto da base do caule. Quanto mais planas as flores, melhor. Prefira o amor-perfeito e a violeta, em vez da peônia ou da zínia.

Passo 2 Procure um catálogo de telefones velho e tire a poeira dele. Corte os caules, coloque as flores entre as páginas e feche o catálogo. (Se não tiver um catálogo velho, arrume as flores entre dois filtros de café e coloque-as dentro de uma enciclopédia, de dicionário ou da antologia de literatura que você não abre desde os tempos do colégio.)

Passo 3 Empilhe mais livros ou outros objetos pesados em cima de sua prensa de flores improvisada, deixando-a em paz durante uma ou duas semanas.

Como pregar um botão

Passo 4 Veja como estão suas flores. Se estiverem secas e com a aparência de papel, estão prontas. Manipule-as com cuidado e com uma pinça. Elas são muito delicadas.

Passo 5 Usando uma quantidade mínima de cola, monte as flores sobre um pedaço de papel ou papel-cartão. Emoldure a montagem e pendure-a na parede (para isso, veja a página 166).

Mais Dicas Úteis

- Você também pode colar as flores em um cartão liso, escrever uma mensagem carinhosa nas costas, colocar o cartão em um envelope e mandá-lo para um amigo.
- Desidrate folhas bonitas; para dar sorte, desidrate um trevo de quatro folhas também!

Respire fundo

"A canela é maravilhosa. Faz sua casa cheirar como se você estivesse assando uma torta."

— Beatrice Neidorf

Como perfumar a casa sem usar velas aromáticas

Passo 1   Guarde no bolso o dinheiro que ia gastar com uma vela perfumada.

Passo 2   Numa panela pequena, leve um pouco de água para ferver em fogo brando.

Passo 3   Adicione à água pedaços de canela em pau (ou pitadas de canela em pó); se gostar, adicione também cravos-da-índia e cascas de limão, laranja ou maçã.

Passo 4   Deixe ferver pelo tempo que desejar, tendo o cuidado de completar a água da panela.

Mais Dicas Úteis

- Se o tempo estiver quente, abra as janelas. O ar fresco tem um cheiro maravilhoso!
- Se tiver preparado peixe para o jantar, quebrado um ovo estragado ou esquecido de tirar o lixo de casa, uma tigela com vinagre branco sobre a bancada de cozinha absorverá os maus odores.

Siga o fluxo

"A vida é muito melhor quando podemos fazer as coisas nós mesmas!"

— SUE WESTHEIMER RANSOHOFF

Como desentupir o encanamento

Passo 1   Despeje 1/2 xícara de bicarbonato de sódio dentro do cano entupido.

Passo 2   Em cima do bicarbonato, despeje 1/2 xícara de vinagre branco. A mistura vai ferver como aquelas experiências do tempo da escola, mas você deve colocar a tampa do ralo e deixar a solução agir durante 15 minutos.

Passo 3   Enquanto isso, ponha uma chaleira cheia de água para ferver.

Passo 4   Após 15 minutos, tire a tampa do ralo e despeje nele a água fervente. Repita, se necessário.

Mais Dicas Úteis

- Se esse recurso não funcionar, encha a pia com vários centímetros de água (se ela já não estiver cheia — eca!), tampe os buracos de drenagem com um pano molhado, passe vaselina na borda do desentupidor de pia, coloque-o sobre o ralo e pressione diversas vezes o cabo do desentupidor, até desobstruir o encanamento.
- Semanalmente, despeje no ralo 1/2 xícara de bicarbonato de sódio, seguida por água quente, para manter o encanamento limpo e livre.
- Use um ralinho para pia e lavatório, evitando que pedaços de comida ou cabelos entrem no encanamento.

Ejete os dejetos

*"Sempre tínhamos um desentupidor. Sem isso,
seria preciso um bombeiro hidráulico!"*

— Grace Fortunato

Como desentupir o vaso sanitário

Passo 1 O assunto não é agradável, mas não dá para evitá-lo. Para começar, pare de acionar a descarga. Se a água ainda estiver passando, procure o registro na parede atrás do vaso e feche a entrada de água.

Passo 2 Avalie a situação. Você está na casa de amigos ou há alguém à sua espera na sala de estar? Se a resposta for não, sorte sua! Se for sim, chame sua amiga aos gritos e peça a ela para tocar uma música bem alto. Talvez ela pense que você é um pouco esquisita, mas é melhor que a deixar pensando sobre o que você fez para entupir o vaso. Se você ainda não fez barulho, vai fazer quando chegar ao passo 4.

Passo 3 Se a água estiver chegando à borda do vaso sanitário, pegue um balde, um copo de papel ou qualquer vasilha e tire um pouco da água. É nojento? Sim, mas é melhor que deixar a água suja do vaso sanitário encharcar todo o piso.

Passo 4   Encontre o desentupidor e encaixe a câmara de borracha sobre o buraco do fundo do vaso sanitário. Quando tiver conseguido uma boa aderência, pressione o cabo do desentupidor para cima e para baixo com inigualável energia, vigorosamente! Enxugue o suor da testa e repita a operação até a água baixar (indicando que o vaso está desentupido.) Se você fechou o registro, torne a abri-lo agora.

Passo 5   Com o vaso desentupido, acione a descarga para limpá-lo, lave as mãos (com sabão!) e saia do banheiro com a cabeça erguida, como se não tivesse acontecido nada de mais

Mais Dicas Úteis

- Se o desentupidor não resolveu o problema depois de todas as tentativas de que foi capaz, será preciso usar uma mola de arame própria para desentupir encanamentos.
- Nos vasos sanitários, os desentupidores em forma de sino dão melhores resultados que os em forma de calota.

6

Na saúde e na beleza

*Uma boa vida não depende de luxo.
Depende de ter saúde, cuidar de si mesma e ser feliz.*

Corte o resfriado

"Quando ficava doente, minha mãe me dava litros de suco de laranja e de chá com limão. Mas o que resolvia mesmo era o simples fato de ser mimada!"

— Ruth Rowen

Como preparar um grogue de chá quente

Passo 1   Em uma xícara, despeje água fervente sobre um saquinho de chá; de preferência de um tipo sem cafeína, para você não ficar agitada. Deixe o chá em infusão durante alguns minutos.

Passo 2   Adicione um pouco de mel para adoçar. O mel, além de fazer a bebida mais gostosa, também vai suavizar a garganta e aliviar a dor ou a tosse.

Passo 3   Corte um limão em quartos e esprema um dos pedaços dentro da xícara, para dar um pouco de acidez saborosa.

Passo 4   Complete adicionando uma dose de uísque ao chá. Se estiver se sentindo muito mal, também despeje um pouco de uísque na boca.

Passo 5   Segure a xícara perto do rosto, aspirando o vapor, para desentupir o nariz.

Passo 6   Vá para baixo das cobertas e beba até ficar grogue.

Passo 7   Muito importante! Coloque a xícara em outro lugar antes de pegar no sono.

Passo 8   Tenha bons sonhos. Roncar é opcional. Deixe a vergonha de lado: você está doente e tem o direito de cair no sono.

Mais Dicas Úteis

- Aqueça-se: sentir frio pode prejudicar o sistema imunológico.
- Gargareje com água quente três vezes ao dia para ajudar a matar os germes.
- Lave muitas vezes as mãos com sabão (que não precisa ser bactericida); e, pelo amor de Deus, mantenha as mãos longe do rosto.

Plante essa

"Ainda sigo o mesmo programa de beleza. Toda manhã, corto um talo de babosa, descasco uns 2 centímetros dele com uma faca amolada e passo o talo sobre todo o rosto. Para alguém com 88 anos, minha pele não está nada mal."

— Mildred Kalish

Como aliviar uma queimadura

Passo 1   Analise a queimadura. Se for grave, procure ajuda médica. Se não, trinque os dentes e faça uma careta de dor, inspire o ar ruidosamente e deixe que ele passe sobre os molares. Isso não vai aliviar a queimadura, mas pode atrair a compaixão de quem estiver por perto.

Passo 2   Arranque uma das folhas da base de uma babosa e observe a seiva incolor e gelatinosa que começa a minar.

Passo 3   Passe a seiva da folha sobre a queimadura, o que trará um alívio refrescante. Ela vai ajudar a reduzir a inflamação e a vermelhidão.

Passo 4   Se a folha ainda tiver seiva, guarde-a no freezer para manter o frescor. Com sorte, você não vai precisar dela, mas se isso acontecer ela estará à mão.

Mais Dicas Úteis

- A babosa fresca também ajuda a aliviar as queimaduras de sol e a coceira das picadas de insetos e do contato com a hera venenosa.
- Até os piores jardineiros conseguem cultivar um pé de babosa. A planta cresce muito bem dentro de casa, no sol direto ou no sol parcial; ela precisa de muito pouca água.

Acabe com a alergia

"Em Iowa, muitas flores silvestres cresciam à beira da estrada — varas-de-ouro, centáureas muito azuis e rosas silvestres."

— Mildred Kalish

Como evitar os espirros

Passo 1 Como está o tempo? Se o dia estiver ensolarado, seco e ventoso, feche as janelas, fique dentro de casa e faça de conta que é um vampiro. Você poderá sair à noite, quando o pólen baixar. Os dias de chuva também têm uma baixa concentração de pólen, portanto, se você for muito alérgica, pense na possibilidade de comprar um par de galochas e resolver seus assuntos quando estiver chovendo.

Passo 2 Quando voltar para casa, tire os sapatos assim que entrar. Se não fizer isso, poderá espalhar pólen pela casa toda, o que será irritante, tanto física quanto emocionalmente. Ainda está espirrando? Tome banho e vista roupas limpas.

Passo 3 Adie a lavagem de roupas ou seque-as na secadora. Se pendurar roupas molhadas no varal, elas ficarão cobertas de pólen e você sofrerá as consequências. Atchim!

Mais Dicas Úteis

- Se você deixar o cachorro ou o gato do lado de fora da casa, limpe o bichinho com uma toalha úmida quando ele voltar; caso contrário, o pelo coberto de pólen fará você espirrar só de olhar para ele.
- Contrate ou suborne alguém para cortar a grama e recolher as aparas. Veja na página 258 como fazer escambos.
- Mais ou menos um mês antes do início da época de alergias, tome diariamente um pouco de mel da sua região. Como ele contém pólen, algumas pessoas acreditam que pequenas doses podem ajudar a aumentar a tolerância. Mesmo que elas estejam erradas, o mel vai adoçar seu dia.

Fique em forma de graça

"Se eu não estiver em forma e com saúde, não poderei desfrutar o que me acontecer."

— Lucile Frisbee

Como montar um programa de caminhadas

Passo 1 Para caminhar, ninguém precisa se associar a uma academia ou comprar roupas especiais, mas precisa de um calçado que ofereça uma boa palmilha, um bom amortecimento e tenha o solado flexível. Em outras palavras, não vá caminhar com suas lindas sapatilhas de dança. Calce um par de sapatos confortáveis e vá em frente.

Passo 2 Mexa-se. Você caminha desde que era um bebê, portanto é uma profissional do esporte. Comece com 5 minutos de aquecimento em um ritmo lento. Em seguida, acelere um pouco durante 2 minutos. Volte ao ritmo lento durante 1 minuto. Repita essa sequência cinco vezes. Encerre com 5 minutos de passeio e dê os parabéns a si mesma.

Passo 3 Varie o ritmo. Para ganhar resistência e força, você precisa mudar a rotina. Ao sair para caminhar, podemos fazer muitas coisas: aumentar em 1 minuto cada período de marcha mais acelerada, mas sem alterar o período de recuperação; acrescentar mais um ciclo de caminhada rápida/lenta; experimentar um roteiro mais acidentado. Invente seus próprios intervalos, escolhendo marcos no caminho (por exemplo, a placa da rua, o poste, o cara sem camisa que está lavando o carro). Use esses marcos para alternar os períodos acelerados e lentos. Faça o que parecer divertido!

Passo 4 Não quebre o hábito. Quando estiver se exercitando durante 30 minutos por dia na maioria dos dias da semana, seu coração ficará forte, os músculos ganharão definição e sua energia será infinita.

Mais Dicas Úteis

- Compre um calçado do tamanho adequado. Com o exercício, os pés ficam inchados, portanto deixe uma sobra de um dedo entre a ponta do pé e a ponta do sapato.
- Para facilitar a marcha, dobre os braços fazendo um ângulo de 90 graus; balance os braços para a frente e para trás, e não para os lados. Você vai caminhar, não vai desfilar.
- Dê impulso com a ponta do pé de trás para tornar sua marcha mais elástica. Contrair os quadris ao mesmo tempo aumenta a tonificação dos músculos.
- Convide uma amiga. Além de tornar a caminhada mais agradável, ter companhia também aumenta suas chances de não desanimar.
- Não suou nem um pouco? Da próxima vez, experimente alternar caminhada e corrida.

Ressalte seu brilho natural

"Valorize ao máximo o que você tem e viva feliz consigo mesma. Não procure ser o que não é."

— Beatrice Neidorf

Como fazer uma limpeza facial

Passo 1 Ponha uma chaleira no fogo, coloque em um bule 4 a 6 saquinhos de chá verde e despeje sobre eles a água em ebulição. Deixe em infusão durante vários minutos. Ponha o bule na geladeira para esfriar.

Passo 2 Afaste o cabelo do rosto, prendendo-o com uma faixa ou fazendo um rabo de cavalo (se quiser, também pode imitar por alguns minutos Edie Beale, a tia de Jacqueline Onassis, puxando sobre a cabeça uma blusa de gola rulê).

Passo 3 Lave o rosto com um sabonete de limpeza e água morna. Seque com uma toalha, sem esfregar.

Passo 4 Aplique uma máscara caseira e deixe-a agir durante 20 minutos. Algumas sugestões:

Para pele oleosa: Bata 2 claras e 1 gema de ovo, passe a máscara no rosto com um pincel e deixe-a secar.

Para pele seca: Misture um pouco de mel com algumas gotas de suco de limão e massageie essa máscara no rosto com as pontas dos dedos.

Para pele seca e descamada: Misture 1 xícara de aveia com água ou iogurte natural, formando uma pasta. Aplique-a no rosto e esfregue delicadamente.

Para qualquer tipo de pele: Descasque 1/2 pepino, corte-o em fatias, acrescente 1 colher de sopa de iogurte natural, bata para fazer uma pasta. Massageie o rosto com essa pasta.

Passo 5   Lave o rosto, usando o tônico de chá verde gelado que preparou.

Passo 6   Aplique um hidratante, contemple sua nova pele radiante e sinta-se linda durante todo o dia.

Mais Dicas Úteis

- Para dar brilho à pele, faça uma massagem quando aplicar uma dessas máscaras. Faça pequenos círculos com os dedos, começando no centro do queixo e subindo ao longo da linha do maxilar. Em seguida, vá para o centro da testa e faça movimentos descendentes. Termine massageando em torno dos olhos e ao longo do nariz.
- Se não tiver chá verde, experimente usar chá de camomila. Também não tem camomila? Então use apenas água morna para remover a máscara. A sensação também será fantástica!

Tire o revestimento

"Exiba um rosto limpo. Sua aparência sem maquiagem será melhor do que a da maioria das pessoas com ela."

— Ruth Rowen

Como remover a maquiagem

Passo 1 Afaste o cabelo do rosto, prendendo-o com uma faixa ou uma presilha, e veja o que tem pela frente.

Passo 2 Remova delicadamente o batom com um lenço de papel.

Passo 3 Descubra seus olhos brilhantes. Se estiver usando rímel, sombra ou delineador, aplique um pouquinho de creme hidratante (ou vaselina)* sobre os olhos fechados e limpe-os delicadamente com um chumaço de algodão.

---

* Antes de testar a dica para remoção de maquiagem, é preciso checar se o creme é indicado para a região dos olhos e se não há risco de algum componente provocar alergias. (*N. da E.*)

Passo 4 Vamos esfregar! Umedeça as mãos com água morna e ensaboe o rosto com uma quantidade de creme de limpeza do tamanho de uma moeda ou com algumas passadas de um sabonete de limpeza suave. Esfregue delicadamente a pele com movimentos circulares durante 60 segundos, descendo da testa até o pescoço.

Passo 5 Enxágue. Lave o rosto com água morna para remover todo o sabonete ou creme e depois com água fria, para fechar os poros.

Passo 6 Enxugue o rosto com uma toalha limpa e seca, sem esfregar.

Passo 7 Ganhe um brilho natural: aplique seu hidratante favorito, contemple-se no espelho e diga: "Espelho, espelho meu, existe alguém mais bela do que eu?" Sorria, caia na real e vá para a cama.

Mais Dicas Úteis

- Use maquiagem com moderação. Ela deve destacar seus traços e não os esconder.
- Você não precisa gastar uma fortuna em removedores de maquiagem, sabonetes, creme de limpeza e hidratantes caros. A maioria dos produtos de beleza contém os mesmos ingredientes básicos, não importa o preço. Procure algum produto que combine com sua pele e seja fiel a ele.
- Para uma pele ainda mais luminosa, aplique o sabonete com uma toalha limpa, em vez de usar as mãos.

Seja nota dez

"O esmalte era muito importante. Com ele, nos sentíamos bem arrumadas. Eu me lembro de ter perguntado a meu pai qual de duas cores ele preferia. Ele realmente pensou sobre a questão antes de responder."

— Sue Westheimer Ransohoff

Como fazer as unhas

Passo 1   Retire o esmalte velho e corte as unhas. Se elas estiverem tão compridas que a impeçam de segurar um lápis, abotoar a blusa ou teclar o telefone, não perca tempo. Está na dúvida se suas unhas lembram as da bruxa da Branca de Neve? Então, é claro que elas lembram. Pare de ler, pegue um cortador de unhas e corte-as imediatamente. Você vai se sentir uma nova mulher (e poderá usar roupas escuras sem parecer uma dominadora sadomasoquista).

Passo 2   Lixe as unhas num formato reto e depois arredonde os cantos para que a curva das unhas combine com a curva das cutículas.

Passo 3   Simplifique, passando um creme sobre as cutículas e empurrando-as delicadamente com uma toalha macia. Mas se preferir e for habilidosa, use um alicate apropriado para cortar as cutículas.

Passo 4 Passe um removedor de esmalte sobre as unhas, mesmo que não estejam pintadas. Isso faz o esmalte durar mais.

Passo 5 Aplique uma base de esmalte. O segredo para conseguir uma cobertura homogênea é mergulhar o pincel no esmalte uma vez e pintar uma faixa espessa no centro da unha e, em seguida, fazer o mesmo de cada lado dessa faixa central, para terminar a tarefa em três rápidas passagens. Não torne a molhar o pincel para a mesma unha, para evitar que o esmalte escorra.

Passo 6 Espere alguns minutos e pinte outra camada. Repita a operação mais uma vez, com uma camada de acabamento. Durante a próxima hora, evite dedilhar uma guitarra, embaralhar cartas, tocar reco-reco ou fazer qualquer atividade manual vigorosa.

Mais Dicas Úteis

- Se suas cutículas estiverem ásperas, massageie os pontos problemáticos com óleo (azeite de oliva, óleo de amêndoas, óleo vegetal ou o que você tiver) e depois trate as cutículas com um esfoliante.
- Seja ousada na escolha das cores, principalmente para os pés. O esmalte não é permanente, portanto por que não se arriscar com um vermelho vivo ou um azul-escuro? Se você não viver de sandálias, só quem vai vê-las é o seu amor.

Alongue-se

"Uma boa postura é muito importante. Levante a cabeça, olhe o mundo de frente e diga: 'Cheguei!'"

— Beatrice Neidorf

Como melhorar a postura

Passo 1 Fique de pé, com os pés alinhados com os ombros, os joelhos ligeiramente flexionados, os braços ao lado do corpo e o peso apoiado na ponta dos pés. O alongamento não só ajuda a reduzir as lesões e a fadiga muscular, mas também nos deixa mais confiantes. Sem brincadeira, experimente!

Passo 2 Contraia a barriga para cima e para dentro, como se quisesse fazer o umbigo beijar a coluna. Smack!

Passo 3 Mantendo o queixo paralelo ao chão, leve os ombros para trás e para baixo.

Passo 4 Confira seu alinhamento em um espelho. De frente, os ombros e quadris devem estar paralelos, os braços equidistantes dos lados do corpo, os joelhos voltados para a frente e os tornozelos bem retos. Na visão lateral, deve ser possível traçar uma linha reta a partir dos lóbulos das orelhas, passando pelos ombros, quadris, joelhos e tornozelos.

Passo 5   Diga as seguintes palavras: "Sou o máximo!" Você se sentirá melhor e será mais bem tratada se tiver uma postura ereta e demonstrar autoconfiança.

Mais Dicas Úteis

- Não use saltos altos todo dia, pois poderá desalinhar as costas.
- Para se sentar com uma postura perfeita, apoie os dois pés no chão, com os dedos para a frente, os joelhos ligeiramente atrás dos tornozelos e os quadris na altura ou um pouco acima dos joelhos. Contraindo o abdômen e levando os ombros para trás, sente-se bem no fundo da cadeira para que a base da coluna fique apoiada.
- Quando dormir de lado, coloque um travesseiro entre as pernas. Se dormir de costas, coloque um travesseiro embaixo dos joelhos.

Conheça suas qualidades

> *"Eu costumava perguntar a Deus: 'Custava me fazer um pouco mais bonita?' Eu me achava gorda, mas não era gorda naquele tempo e não sou gorda hoje. Isso foi o que mais me surpreendeu quando envelheci."*
>
> — Mildred Kalish

Como amar seu corpo como ele é

Passo 1   Caia na real! No cômputo geral, o fato de você não caber naquele jeans tamanho 38 não tem absolutamente nada, coisa nenhuma, nadica a ver com o seu valor como pessoa. Duvida? Então experimente fazer o seguinte: pense em algumas mulheres, do passado ou do presente, que você admira. Rosa Parks, a afro-americana que lutou contra o racismo nos Estados Unidos, tornou-se uma heroína por causa do tamanho do vestido ou pela coragem? A apresentadora Ellen DeGeneres é tão admirada porque consegue apertar bem o cinto ou porque nos mata de rir? Hillary Clinton chegou a uma posição tão elevada no governo graças à cintura fina ou à inteligência? Pergunte a si mesma o que você quer que as pessoas admirem em você.

Passo 2   Seja ativa. Nessa existência, você só tem um corpo em que viver (e ao qual amar), portanto é melhor começar a apreciá-lo. Em vez de ficar obcecada com sua aparência, pense por um momento sobre o que pode *realizar*. Suas pernas já levaram você ao topo de montanhas? Seus braços já confortaram amigos que precisavam de carinho? Mantenha um "diário da gratidão" para registrar toda semana as coisas fantásticas que seu corpo lhe permitiu realizar. Leia esse diário sempre que se sentir desanimada.

Passo 3 Cerque-se de pessoas positivas. A neurose com o corpo pode ser contagiosa. Se passar todo o tempo com amigos que não respeitam os próprios corpos, você poderá se sentir pressionada a fazer o mesmo com o seu. Não se entregue! Faça com seus amigos um acordo de só verbalizar pensamentos positivos sobre o corpo e de se apoiarem mutuamente nessa decisão. Logo você verá o bem-estar resultante dessa atitude!

Passo 4 Assuma suas curvas (ou a falta delas). Trabalhe con o que tiver! Não existe uma definição única de beleza e sensualidade. Criar a própria definição é seu papel. Não deixe que os outros façam isso por você.

Mais Dicas Úteis

- Acabe com as avaliações negativas. Nunca, jamais, diga a uma pessoa amada que ela é muito magra ou muito gorda, muito alta ou muito baixa. Trate-se com o mesmo respeito.
- Jogue fora a balança. Por que abrir mão do seu poder em favor de um número? Você só precisa saber que está saudável e forte.

Renove-se

"É um grande prazer deitar-se numa cama com lençóis limpos que secaram ao sol."

— Mildred Kalish

Como ter uma boa noite de sono

Passo 1 Acorde à mesma hora todos os dias. Ou seja, não durma até as 11 horas aos sábados (a não ser que faça isso todos os dias, sua preguiçosa!) e não desligue o despertador sete vezes toda manhã. Criar uma rotina matinal regular ajuda a calibrar o relógio biológico, facilitando o adormecer à noite.

Passo 2 Faça exercícios físicos pela manhã ou à tarde, nunca à noite. Quem faz ginástica dorme mais e melhor do que quem não faz. No entanto, como o exercício é estimulante (literal *e* figurativamente), você deve dar uma margem de 3 a 6 horas entre as sessões de malhação e as de sono. Para sair do ar, seu corpo precisa esfriar.

Passo 3 Jante cedo e dispense o curry de frango. Refeições pesadas ou muito temperadas a menos de 3 horas do momento de dormir podem prejudicar o sono por motivos que você provavelmente pode imaginar. (Se não puder, vá para a página 182 e prepare-se para uma visão da pior perspectiva.)

Passo 4 Transforme a hora de dormir em um ritual. Leve sua mente para a terra dos sonhos fazendo alguma coisa relaxante. Experimente tomar um bom banho, ouvir música suave, ler, meditar. Evite pagar contas, assistir o canal de notícias ou procurar ex-namorados na Internet.

Passo 5 Deite-se. Quanto mais escuro e silencioso for o quarto, melhor. Bons sonhos!

Mais Dicas Úteis

- Cafeína, nicotina e bebidas alcoólicas causam noites maldormidas, portanto pegue leve com essas coisas.
- A maioria dos indivíduos prefere temperaturas mais baixas para dormir, portanto, antes de ir para a cama refresque seu quarto.
- Use a cama somente para dormir e transar, nunca para trabalhar ou se preocupar.

Sinta-se invencível

"Precisei de muito tempo para superar meus medos, mas é preciso fazer isso."

— Grace Fortunato

Como se proteger de perigos

Passo 1 Evite problemas. Fique longe de gente perigosa (e de animais selvagens) usando o bom-senso. Tranque as portas. Caminhe em regiões bem iluminadas e movimentadas. Fique de olhos e ouvidos bem abertos.

Passo 2 Confie em sua intuição. Se alguma coisa parecer errada, afaste-se daquela situação. Não é falta de educação caminhar — ou correr — para longe! (Se o problema for uma cobra ou algum animal silvestre perdido, vá para a casa de um vizinho, chame os bombeiros e deixe que eles resolvam o problema. Se não for esse o problema, vá para o passo 3.)

Passo 3 Faça barulho. Se estiver em perigo, atraia o máximo de atenção para si. Grite, berre, toque um apito.

Passo 4 Se não puder se afastar ou conseguir ajuda e estiver sendo atacada, reaja com tudo. Não quero parecer alarmista, mas reaja com socos, pontapés, joelhadas, mordidas e arranhões no atacante. Se tiver moedas nos bolsos, jogue-as. Tem spray de pimenta? Use! Uma frigideira em cima do fogão? Ah, querida, você sabe o que fazer com ela.*

Passo 5 Corra para longe assim que puder e peça ajuda.

Mais Dicas Úteis

- Olhar nos olhos do oponente pode inverter uma situação arriscada porque ajuda a demonstrar para o mau-caráter que você está consciente do ambiente. Isso diz a ele que você não é a pessoa certa para ser atacada.
- Diversifique seus hábitos diários, para que seus movimentos sejam imprevisíveis.
- Se você estiver pensando em acertar alguém (ou alguma coisa) com a frigideira, resista à tentação de antes tirar o que estiver dentro dela. Pode ser gostoso, mas não é tão gostoso assim!
- Se o malfeitor só quiser seu dinheiro (ou o iPod ou as joias), entregue o que ele quiser. Sua segurança vale muito mais do que seus bens.

---

* As recomendações deste capítulo são opiniões da autora e possuem traços bem-humorados. As autoridades aconselham que a vítima não reaja a assaltos. (N. da E.)

Sinta-se encantadora

"Todas nós começamos a usar batom aos 12 anos, porque as estrelas de cinema usavam. Nos sentíamos o máximo! Usar batom significava estar produzida."

— MILDRED KALISH

Como aplicar um batom vermelho

Passo 1 Prepare os lábios. Remova delicadamente qualquer aspereza com uma escova de dentes seca ou um pedaço de toalha úmido. Não arranque a pele! Os lábios devem ficar vermelhos de batom e não de sangue.

Passo 2 Enxugue os lábios. Basta secá-los com um lenço de papel.

Passo 3 Escolha um lápis para lábios da mesma cor do batom e desenhe o contorno da boca. Isso evitará que o batom fique borrado. Se não conseguir um lápis da cor exata, use um de tom mais claro. Nunca use um tom mais escuro, para não ficar com um visual vulgar.

Passo 4   Aplique o batom diretamente do bastão, partindo do centro da boca para o canto dos lábios. Tire o excesso delicadamente com um lenço de papel e aplique novamente.

Passo 5   Faça caras e bocas!

Mais Dicas Úteis

- Destaque apenas um traço facial por vez: se vai usar lábios chamativos, deixe os olhos e as bochechas ao natural.
- Experimente diferentes tons de vermelho. As cores mais quentes são mais adequadas para peles amareladas, enquanto os tons frios favorecem as peles mais rosadas.
- Não tenha medo de misturar tons para criar sua própria cor de batom.
- Ficou muito escuro? Remova um pouco com um lenço de papel ou aplique por cima um brilho labial para ajudar a clarear o batom.

7

Em família

*Cuide de sua família.
Nenhum investimento proporciona melhor retorno.
Seu amor pelos familiares tornará os tempos difíceis menos
dolorosos e os bons momentos mais alegres.*

Acalme seu bebê

"Trate seus filhos com respeito e eles terão respeito por você. Respeite a privacidade deles e confie neles. E tente dar um bom exemplo. Se você for um bom modelo, eles imitarão o que você estiver tentando fazer."

— Beatrice Neidorf

Como enrolar um recém-nascido

Passo 1   Abra uma mantinha na diagonal, sobre o trocador ou a cama.

Passo 2   Dobre o canto superior da manta para dentro uns 15cm.

Passo 3   Coloque o bebê sobre a manta, de modo que a dobra fique um pouco acima dos ombros dele e a ponta de baixo fique alinhada com os dedos dos pés. Diga bilu-bilu.

Passo 4   Posicionando delicadamente o braço direito do bebê junto ao corpinho, cubra-o com o lado direito da manta, enfiando o canto embaixo do bumbum do neném.

Passo 5   Deixando espaço suficiente para o bebê esticar as pernas, dobre para cima a ponta inferior da manta, na direção do queixo da criança. Se a manta for muito longa, faça uma dobra nessa ponta para que ela não cubra o rosto do neném.

Passo 6 Posicionando delicadamente o braço esquerdo do bebê contra o corpo, passe a lateral esquerda da manta sobre o corpo e enfie a ponta da manta embaixo da bundinha dele.

Passo 7 Pegue-o nos braços e dê-lhe um beijo carinhoso.

Uma Dica Útil

- Se seu bebê for muito agitado, boa sorte! Deixe os braços dele livres fazendo uma dobra maior do canto superior e acomodando essa dobra embaixo dos bracinhos. Quando dobrar a ponta inferior, prenda-a embaixo das outras dobras.

Solte a imaginação

"Você não precisa de brinquedos com aquele monte de sinos e apitos. Só precisa ter um pouco de imaginação!"

— Grace Fortunato

Como fazer um brinquedo para o bebê

Uma lagarta fácil de fazer

Passo 1   Procure um par de meias velhas (e limpas!) muito coloridas e corte uma perna a uns 40cm acima da ponta do pé.

Passo 2   Recheie a meia com 6 pedaços de papel amassado, que os bebês adoram por causa do barulho e da textura.

Passo 3   Faça um nó na extremidade aberta da meia e corte o excesso.

Passo 4   Corte 5 pedaços de fita de cor contrastante, cada pedaço com 20cm de comprimento, e amarre as fitas delimitando cada segmento da meia entre os pedaços de papel. Amarre as fitas com um nó duplo.

Passo 5   Dê um nome à lagartinha e entregue-a a seu bebê.

Um chocalho barulhento

Passo 1   Pegue uma lata vazia e limpa.

Passo 2   Encha a lata com coisas que façam barulho, como caroços de feijão ou arroz.

Passo 3   Tampe a lata. A tampa pode ser firmada com uma fita adesiva ou mesmo com algumas gotas de cola instantânea.

Passo 4   Enrole a lata com um papel colorido e prenda as pontas do papel com fita adesiva.

Passo 5   Coloque o chocalho no chão, ao lado da criancinha. Ela vai adorar empurrar o brinquedo, principalmente se puder engatinhar atrás dele.*

Uma Dica Útil

- Não se esforce demais para produzir ou comprar o brinquedo perfeito para o bebê. Qualquer coisa, até mesmo uma caixa de papelão ou um pedaço de papel, é uma novidade e é estimulante. Além disso, seu filhinho pode aprender muito mais com você do que com qualquer outra pessoa ou objeto.

---

* Cuidado para a criança não levar o brinquedo à boca. (*N. da E.*)

Induza bons sonhos

"Ler histórias para as crianças na hora de dormir é maravilhoso e cria intimidade. Faça as vozes dos personagens. Finja que está no palco do teatro. Não faça uma leitura chata e monótona. Você tem que ser animada, mas não tanto que eles percam o sono."

— Beatrice Neidorf

Como ler uma história infantil

Passo 1 Deixe que as crianças escolham o livro favorito. Se elas não conseguirem tomar uma decisão, faça com que escolham entre dois livros.

Passo 2 Prepare o ambiente. Desligue tudo o que possa ser distração, como o rádio ou a televisão; diminua um pouco as luzes (mas não tanto que vá forçar sua vista) e acomode na cama seu baixinho, já lavado, penteado e de pijama.

Passo 3 Torne a leitura divertida. Coloque o livro numa posição que permita à criança ver as figuras e comece a ler em voz alta, usando vozes diferentes para cada personagem, se for capaz.

Passo 4 Faça perguntas que não tenham resposta certa ou errada. Por exemplo: O que você faria? O que você acha que vai acontecer? Você tem amigos assim? Transforme a leitura numa experiência de interação, sem ser um interrogatório.

Passo 5 Dê-lhe um beijo de boa-noite, diga que o ama, apague as luzes e vá relaxar.

Mais Dicas Úteis

- Evite histórias assustadoras, principalmente na hora de dormir, ou poderá ter a companhia da criança em sua cama depois de apagar as luzes.
- Leia o mesmo livro durante algumas noites seguidas; isso ajudará a criança a desenvolver mais rapidamente a linguagem.
- Procure a biblioteca de sua região (é grátis) e leve seus filhos para escolherem com você as historinhas para a hora de dormir.

Espalhe amor

"O mais importante para ser uma boa cozinheira é amar as pessoas para quem você está cozinhando."

— Ruth Rowen

Como preparar a merendeira

Passo 1 Dê uma olhada na geladeira. Se tiver sobras do café da manhã, embale-as e pronto! O problema estará resolvido.

Passo 2 Não tem sobras? Não há problema. Prepare um sanduíche no pão integral com 100g de proteína, uma colher de sopa de manteiga ou maionese e um monte de verduras. Experimente peito de peru com alface, tomate, queijo e mostarda; atum com maionese light e espinafre; ou queijo com geleia e, à parte, palitos de cenoura. Coloque o sanduíche em um recipiente que possa ser lavado e reutilizado ou enrole-o em papel de alumínio (reciclável) ou papel-manteiga (que pode virar adubo composto).

Passo 3 Inclua uma fruta como sobremesa.

Passo 4 Acrescente alguma bebida para lavar a serpentina: 250ml de leite ou de suco em uma garrafa térmica. Se em vez de comprar embalagens individuais você comprar embalagens grandes de leite ou suco e usar uma garrafa térmica, economizará (e protegerá o planeta).

Passo 5 Coloque tudo isso na merendeira.

Passo 6 Inclua uma nota carinhosa, escrita à mão, para mostrar seu amor. Quer ser um pouco menos careta? Experimente mandar uma piada, como: Dois bonecos de neve estão em um campo. Um diz para o outro: "Engraçado, também estou sentindo cheiro de cenoura."

Mais Dicas Úteis

- Se houver na refeição alguma coisa perecível, embale-a em uma caixa ou saco plástico com revestimento isolante junto com uma bolsa de gelo (ou um saco de plástico cheio de gelo) para manter os alimentos gelados.
- Se as manhãs forem caóticas, prepare a merenda na noite anterior e guarde-a na geladeira.
- Quanto mais colorido natural tiver a refeição (espinafre, pimentão, cenoura etc.), mais nutritiva provavelmente será. O arco-íris nunca foi tão gostoso!

Estimule a responsabilidade

"Acho que as crianças não devem ser pagas para fazer tarefas domésticas. Acho que elas devem fazê-las como parte da vida familiar. Todo mundo precisa colaborar para as coisas funcionarem."

— Alice Loft

Como delegar tarefas

Passo 1 Veja o que há para fazer em casa. Se não quiser ser relegada à condição de empregada da família, entenda que manter uma casa funcionando é um trabalho coletivo. Não deixe de explicar esse fato a todo mundo que mora embaixo do seu teto. Insista, mesmo que isso gere reclamações.

Passo 2 Faça para cada membro da família uma tabela com os dias da semana no alto e as tarefas domésticas na lateral.

Passo 3 Seja realista. Quando distribuir tarefas, veja o que seu filho é capaz de fazer e o que, quem sabe, talvez pelo menos um pouquinho, possa até apreciar. Se necessário, demonstre a forma correta de realizar a tarefa e observe a primeira tentativa da criança, dando o máximo de estímulo durante o processo.

Passo 4 Faça uma marca (uma estrela ou uma carinha sorridente) sobre cada tarefa realizada.

Passo 5 Ao fim de cada semana, examine os mapas para ver quem cumpriu suas tarefas.

Passo 6 Determine consequências. Recompense quem realizou com sucesso as tarefas e corte privilégios de quem não as realizou. E fique firme, apesar de toda e qualquer reação ou choradeira. Se não fizer isso, o sistema inteiro cairá por terra.

Mais Dicas Úteis

- Comece cedo. Até crianças de 3 ou 4 anos podem aprender a contribuir em pequenas coisas como, por exemplo, recolher os brinquedos, dar comida ao cachorro ou levar as xícaras até a pia.
- Recompense as crianças pela colaboração com elogios e não com dinheiro, para que elas não pensem que cuidar de si mesmas e da família é uma tarefa opcional. Estrelas de ouro são ótimas. Barras de ouro, nem tanto.
- Faça uma rotação semanal ou mensal das tarefas, para evitar o tédio e também para ensinar às crianças múltiplas habilidades.

Convide à ação

"Você pode falar quanto quiser, mas precisa orientar por meio do exemplo."
— Lucile Frisbee

Como formar um bom cidadão

Passo 1 Dê um bom exemplo. Seus filhos observam tudo o que você faz, portanto demonstre bondade, generosidade e honestidade todos os dias. Diga "por favor" e "obrigada", segure a porta para os estranhos, recolha o lixo da calçada e pare para conversar com um vizinho solitário.

Passo 2 Faça trabalho voluntário com as crianças. Se estiver trabalhando em uma campanha política, cuidando de uma horta comunitária ou servindo comida em comunidades carentes, leve seus filhos para ajudá-la. Além de se sentirem mais capazes, também aprenderão a sentir empatia.

Passo 3 Quando for votar, leve seu filho com você para a cabine de votação e explique-lhe a importância de ter voz ativa.

Mais Dicas Úteis

- Incentive seu filho a doar parte da mesada ou alguns brinquedos para uma obra de caridade da preferência dele.
- Deixe sua filha reunir as roupas que tenham ficado muito pequenas para ela e leve-a para doar as roupas para um abrigo de pessoas carentes. Ela aprenderá que até as menores ações podem causar mudanças importantes.

Produza-o

*"Meu marido tinha absoluta convicção de que
o papel dele era fazer o máximo pela família e não queria
agradecimentos. Mas eu agradecia assim mesmo."*

— Ruth Rowen

Como dar nó em uma gravata

Passo 1   Levante o colarinho da camisa do seu amor, diga-lhe como ele é bonito e passe a gravata em torno do pescoço dele, com o lado largo do seu lado esquerdo (do lado direito dele) e o lado fino à sua direita.

Passo 2   Puxe o lado largo para baixo, para que ele fique uns 30cm mais comprido que o lado fino.

Passo 3   Cruze o lado largo sobre o estreito, passe-o por dentro da laçada do pescoço e deixe-o cair na frente da laçada.

Passo 4   Leve o lado largo para a direita (na direção do ombro esquerdo dele), faça-o dar a volta por baixo do lado estreito, indo para a esquerda (na direção do ombro direito dele), e então cruze-o por cima do lado estreito, indo para a direita (mais uma vez, na direção do ombro esquerdo dele).

Passo 5   Passe novamente o lado largo pela laçada do pescoço, entrando por dentro do nó, e deixe-o cair na frente.

Passo 6   Segurando com a mão esquerda o lado estreito da gravata, com a mão direita faça o nó deslizar na direção do pescoço, para ajustá-lo. Não aperte demais!

Passo 7   Dobre o colarinho para baixo, acerte novamente a posição do nó, dê um beijo no seu amor e diga-lhe como ele está bonito.

Mais Dicas Úteis

- Sempre abotoe o colarinho da camisa antes de ajustar a gravata.
- Para evitar que a gravata fique amarrotada quando não está sendo usada, enrole-a, começando pelo lado estreito, e guarde-a em uma gaveta com a dobra para baixo.

Segure a onda

"Em um relacionamento duradouro, o mais importante é a disposição para fazer concessões e ser desprendida. E é preciso estudar o parceiro. Saber o que o aborrece e evitar essas coisas."

— Mildred Kalish

Como ser uma boa parceira

Passo 1 Assuma a responsabilidade pela própria felicidade. Ninguém, nem mesmo seu amado, é mais capaz de fazê-la feliz do que você mesma. Esperar que as coisas sejam diferentes só vai causar-lhe decepções e levar seu parceiro a fracassar.

Passo 2 Leve uma vida saudável. Exercite-se, coma bem, durma bastante, de modo a poder dar o melhor de si e ser cheia de vida. Você terá mais capacidade de enfrentar qualquer situação se tiver a mente alerta e o corpo saudável.

Passo 3 Fale — e escute. Tenha opiniões próprias e defenda-as, mas também esteja pronta a ouvir os pontos de vista do outro. Nada de bom resulta de ser uma estação repetidora ou, pelo contrário, ser uma tirana.

Passo 4 Tomem juntos as grandes decisões, mas decidam as pequenas questões individualmente. A autossuficiência alimenta a confiança; eliminar pequenas discussões abre espaço para que cada um prospere.

Passo 5 Defenda seu parceiro. Você deve ser a principal fonte de força e bem-estar dele ou dela, além dele ou dela. Seja generosa com os elogios e parcimoniosa nas críticas.

Passo 6 Compartilhe tempo com seu parceiro, porém não às expensas de suas amizades e interesses. Se vocês só se dedicarem um ao outro, logo o relacionamento vai perder o interesse, já que nenhum dos dois terá nada de novo ou interessante para agregar à relação.

Mais Dicas Úteis

- Seja justa nas brigas. Quando não concordar com ele (e isso acontecerá), tenha respeito. Por melhores que sejam os bons momentos, a malevolência arruína qualquer relacionamento.
- Vista-se para causar boa impressão. Não guarde sua melhor aparência para o resto do mundo, cuidando-se mal quando está em casa.
- Jamais fique ocupada demais para dar um sorriso, um abraço ou um beijo.

Desperte o romance

> *"Meu pai sempre dizia que para ter um casamento feliz é preciso não pensar só em si mesmo. Se você e o seu parceiro tiverem consideração um pelo outro, se relacionarão bem e serão felizes."*
>
> — BEATRICE NEIDORF

Como aproveitar uma noite em casa

Passo 1 Todo mês, reserve uma noite (ou mais, se puder) e comunique a seu amor que aquela é "a noite de vocês". Crie expectativa, marcando o dia no calendário e falando sobre ele.

Passo 2 Elimine as distrações. Mande as crianças passarem a noite em casa de amigos ou parentes. Desligue a televisão e o computador e desconecte os telefones. É muito estimulante mostrar a seu parceiro que ele é a prioridade e que não há mais ninguém com quem você prefira estar.

Passo 3 Crie um clima que combine com as preferências dele. Punk rock e uma cervejinha podem deixá-lo muito mais interessado que, por exemplo, Billie Holiday e champanhe. Não se dobre às convenções. Descubra o que agrada aos dois ou alterne os estilos. Não há mal nenhum em beber cerveja numa noite e champanhe na próxima.

Passo 4 Estimule seus sentidos. Isso pode envolver uma refeição deliciosa, um banho de banheira, uma massagem ou uma roupa "mais confortável". Um aviso: lembre-se de que o objetivo da noite não é apenas jantar. Tome cuidado para não comer demais ou o estômago vai competir com o seu querido.

Passo 5 Com certeza, cara leitora, você é capaz de imaginar esse passo por si mesma. Se não for, deixe passar alguns anos e tente novamente. Você descobrirá.

Mais Dicas Úteis

- Alternem-se no planejamento. Você se encarrega de uma noite e deixa que ele planeje a próxima. Se ele não souber o que fazer, diga-lhe quais são suas preferências. Dessa forma, os dois se sentirão atendidos e bem-cuidados.
- Seja flexível. As expectativas podem criar pressão; portanto, relaxe. Mesmo que a noite não corra exatamente como você planejou, ainda será um tempo de convívio, o que é valioso, aconteça o que acontecer.

Receba bem o seu querido

"Não tenha medo de dizer que o ama. Além disso, se criticá-lo, que seja por alguma coisa importante. Não se aborreça por ninharias."

— GRACE FORTUNATO

Como ajudar a compensar um dia difícil

Passo 1 Se puder, esteja em casa quando ele chegar do trabalho. Se precisar sair, deixe um bilhete carinhoso dizendo-lhe aonde foi, quando espera voltar e o quanto o ama. Por exemplo: "Fui ao supermercado. Volto em dez minutos. Com amor, eu."

Passo 2 Receba seu parceiro na porta de casa com um sorriso e um beijo. Saber que o simples fato de chegar deixa alguém feliz é suficiente para animar qualquer um, mesmo depois do pior dos dias.

Passo 3 Pegue o casaco e a pasta dele ou dela e guarde-os. Não se trata de ser serviçal do parceiro; é apenas uma maneira fácil de dar-lhe apoio. Você estará literalmente tirando um peso de cima do seu amor.

Passo 4 Escute e participe. Às vezes só precisamos sentir que somos ouvidos e compreendidos.

Passo 5 Demonstre seu amor. Pequenos gestos como um carinho, um toque no ombro ou no joelho significam mais que grandes gestos como um jantar sofisticado ou um presente caro. Existe uma diferença entre saber que alguém gosta de você e sentir fisicamente e com frequência que isso acontece.

Mais Dicas Úteis

- Mostre esta página para seu parceiro. Dar apoio ao cônjuge definitivamente é uma via de mão dupla.
- Não deixe que as noites se transformem num festival de queixas. Se os dois têm muito de que se queixar, defina um espaço e um limite de tempo para fazer isso e depois parta para outra.
- Quando nada mais der certo, sirva uma taça de vinho e apele para o namoro. Ei, não descarte essa possibilidade antes de tentar!

Receba bem o seu querido

*"Não tenha medo de dizer que o ama.
Além disso, se criticá-lo, que seja por alguma coisa
importante. Não se aborreça por ninharias."*

— Grace Fortunato

Como ajudar a compensar um dia difícil

Passo 1   Se puder, esteja em casa quando ele chegar do trabalho. Se precisar sair, deixe um bilhete carinhoso dizendo-lhe aonde foi, quando espera voltar e o quanto o ama. Por exemplo: "Fui ao supermercado. Volto em dez minutos. Com amor, eu."

Passo 2   Receba seu parceiro na porta de casa com um sorriso e um beijo. Saber que o simples fato de chegar deixa alguém feliz é suficiente para animar qualquer um, mesmo depois do pior dos dias.

Passo 3   Pegue o casaco e a pasta dele ou dela e guarde-os. Não se trata de ser serviçal do parceiro; é apenas uma maneira fácil de dar-lhe apoio. Você estará literalmente tirando um peso de cima do seu amor.

Passo 4   Escute e participe. Às vezes só precisamos sentir que somos ouvidos e compreendidos.

Passo 5 Demonstre seu amor. Pequenos gestos como um carinho, um toque no ombro ou no joelho significam mais que grandes gestos como um jantar sofisticado ou um presente caro. Existe uma diferença entre saber que alguém gosta de você e sentir fisicamente e com frequência que isso acontece.

Mais Dicas Úteis

- Mostre esta página para seu parceiro. Dar apoio ao cônjuge definitivamente é uma via de mão dupla.
- Não deixe que as noites se transformem num festival de queixas. Se os dois têm muito de que se queixar, defina um espaço e um limite de tempo para fazer isso e depois parta para outra.
- Quando nada mais der certo, sirva uma taça de vinho e apele para o namoro. Ei, não descarte essa possibilidade antes de tentar!

8
Nas finanças

Quando o futuro está incerto, dá muito mais satisfação ter dinheiro no bolso do que ter uma bolsa nova e cara pendurada no braço.

Conte os trocados

"A questão não é o que você tem, mas o que você faz com o que tem. Passar a vida tentando ganhar cada vez mais não é uma boa maneira de viver. Você precisa apreciar o que tem, enxergar aqueles que não têm a mesma sorte, sentir que é abençoada e às vezes se perguntar por quê."

— ALICE LOFT

Como controlar o orçamento

Passo 1 Anote seus gastos. Leve sempre com você um lápis e um bloco de notas. Durante três meses, registre para onde vai cada centavo, desde o aluguel até uma caixinha de chicletes. Talvez isso pareça muito investimento de tempo, mas é a única maneira de ter uma visão precisa de suas despesas. Além disso, você vai pegar o hábito bem depressa.

Passo 2 Examine sua lista. Classifique as despesas de acordo com três grandes categorias: (1) despesas fixas ou repetitivas como o aluguel, o telefone, outros serviços etc.; (2) despesas variáveis ou essenciais cujo custo não é fixo, como alimentação, viagens e despesas médicas; (3) despesas opcionais como lazer, roupas e produtos de beleza. Calcule o total de cada categoria e multiplique esses valores por quatro, para descobrir qual é sua despesa anual média. Em seguida, inclua nessa lista qualquer despesa anual que não tenha sido representada na amostra do trimestre, inclusive pagamento de seguros, associações, gastos sazonais (presentes de Natal, férias, assinaturas de jornais e revistas etc.). Calcule o total geral. Grite uuuiiii! Encaixe os olhos de volta nas órbitas.

Passo 3 Calcule sua renda anual. Some ao salário qualquer fonte de renda com que possa realmente contar, inclusive bônus e dividendos. Agora compare sua receita com o valor de despesas calculado no passo 2. Você ganha mais do que gasta? Se ganha, ótimo! Você está gastando mais do que ganha? Opa, isso é um problema.

Passo 4 Faça seu dinheiro render. Mesmo que não esteja no vermelho, provavelmente existem áreas em que você pode economizar. (Não veja isso como mesquinharia. Veja como uma forma de dar prioridade a cobrir o próprio custo, porque isso será exatamente o que você fará.) Comece por examinar as despesas opcionais, para ver de onde poderá tirar algum dinheiro. Você realmente precisa de sapatos novos ou pode simplesmente engraxar os velhos? (Ver instruções na página 146.) Precisa mesmo comprar um sanduíche todo dia, no trabalho, ou pode levar seu almoço? (Para algumas sugestões, veja a página 219). Necessita de fato pagar aulas de ioga naquela academia de luxo ou pode pegar um DVD e fazer os exercícios em casa de vez em quando? Tendo identificado possibilidades de economia, recalcule suas despesas mensais e fique fiel a elas.

Passo 5 Conheça suas metas. É mais fácil nos ajustarmos a um orçamento quando sabemos para que estamos economizando. Escreva as metas financeiras que gostaria de realizar no próximo ano e nos próximos cinco anos. Sempre que sentir necessidade de detonar, leia mais uma vez suas metas para não perder o foco.

Mais Dicas Úteis

- Tente guardar pelo menos dez por cento da sua renda bruta em uma poupança para emergências e mais dez por cento em um fundo de previdência para a aposentadoria.
- Comece com cortes pequenos e realistas; se puder cortar mais, faça isso. Dessa forma, você nunca se verá sentada no escuro, perguntando como conseguiu se convencer de que a conta de luz era despesa supérflua.
- Até ter juntado uma poupança equivalente a três ou seis meses de despesas, evite grandes gastos. Depois de contar com essa reserva, você poderá se permitir luxos ocasionais sem remorso, porque economizou para isso.

Acabe com as dívidas

*"Meu conselho financeiro é: não gaste dinheiro.
Poupe tanto quanto possível!"*

— Ruth Rowen

Como comprar sem usar o crédito

Passo 1 Deixe em casa o dinheiro de plástico. Se deixar o cartão de crédito numa gaveta em vez de levá-lo na carteira, você terá muito menos oportunidade de ceder aos impulsos consumistas. Manter o cartão em lugar seguro é uma proteção contra as tentações.

Passo 2 Esconda seu dinheiro. Uma vez por semana, vá a um caixa eletrônico, retire a cota de dinheiro para a semana e não volte ao banco antes da próxima semana. Se tiver que literalmente abrir mão do dinheiro, você pensará muito mais antes de comprar; além disso, terá muito mais cuidado com o orçamento se puder ver as notas desaparecerem. Se torrar o dinheiro da semana, acabou-se: pare de gastar.

Passo 3 Planeje antecipadamente. Estude seu orçamento e ajuste-o de modo a guardar dinheiro para as compras mais dispendiosas. Mesmo depois de ter conseguido economizar a quantia necessária para comprar algo, pense muito bem se tem mesmo necessidade daquilo. Escreva o custo e os prós e contras da compra idealizada. Será que aquele par de sapatos vale a perda da noite de diversão com as amigas? Qual dessas duas opções a fará mais feliz num prazo mais longo? Você precisa realmente de um novo telefone celular ou o aparelho velho funciona muito bem? Após essa análise, se tiver os recursos para comprar o que deseja e realmente precisar daquilo, compre à vista e curta sem estresse o que adquiriu.

Mais Dicas Úteis

- Analise as prioridades de sua vida. Lembre-se, ninguém encontra felicidade duradoura numa loja. Se estiver sentindo um vazio, pare de comprar besteiras inúteis e faça amizades (ver a página 268), dedique-se a um trabalho voluntário (ver a página 275) ou apaixone-se (ver a página 229). Tudo isso vale muito mais do que qualquer coisa que você possa comprar.
- Para artigos mais dispendiosos, determine um período de quarentena. Dessa forma, você pensará com mais cuidado sobre o que compra.
- Diga não ao dinheiro de plástico. Tenha um ou dois cartões de crédito sem anuidade e com juros baixos e pague a fatura todo mês, para estabelecer um bom crédito, o que a ajudará quando quiser um financiamento para uma casa ou um carro. No mais, jogue fora todos os folhetos de promoções que caiam em sua caixa de correio.

Equilibre as contas

"*Aprenda a apreciar o que tem e pare de querer tanta coisa. O importante na vida é compartilhar amor. Compre o que puder, aprecie o que tem, aspire a coisas maiores, mas não a ponto de ficar obcecada. Seja feliz com o que tem e continue a batalhar para ter mais.*"

— Grace Fortunato

Como controlar seu balanço

Passo 1 Guarde os recibos de todas as transações financeiras que realizar, inclusive depósitos, saques em caixas eletrônicos e compras a débito, em dinheiro ou com cheque. Toda semana, arquive os recibos em uma pasta ou gaveta específica.

Passo 2 Confira seus registros. Uma vez por mês, pelo menos, verifique os recibos e cheques depositados e confira todas as transações no extrato bancário. Coloque uma marca ao lado de todas as contas ou depósitos confirmados. A seguir, some os recibos e as transações bancárias para ter certeza de que batem um com o outro.

Passo 3 Anote as transações atrasadas. Se algum cheque, compra ou depósito ainda não apareceu no extrato, faça os ajustes correspondentes no balanço para saber quanto dinheiro você realmente tem no banco.

Passo 4 Classifique os recibos. Arquive em pastas diferentes as despesas profissionais e as despesas pessoais para ter menos dificuldade quando chegar a hora de declarar o imposto de renda.

Mais Dicas Úteis

- Se o extrato do cartão de crédito trouxer cobranças das quais não se lembra, principalmente se forem de algum website ou sex shop estrangeiro, primeiro faça um esforço de memória. O que você fez na sexta-feira passada depois da quarta taça de Pinot Grigio? Foi direto para a cama? Telefone imediatamente para o banco e alerte o departamento de fraudes.
- Pague as contas mensais assim que conferir o balanço. Dessa forma, você saberá exatamente de quanto dinheiro dispõe e terá menos probabilidade de passar cheques sem fundos (e ter que pagar aquelas multas infelizes).
- Tente manter um saldo bancário positivo para evitar as taxas do cheque especial. Você poderá economizar muito dinheiro.

Conte com um refresco

"Não tínhamos ar-condicionado ou ventiladores, nenhuma dessas coisas. Se o vento estivesse soprando, ficávamos fresquinhos. Se não estivesse, não ficávamos."

— Elouise Bruce

Como economizar energia

Aqueça-se durante o inverno

Passo 1 Agasalhe-se. Não é preciso passar as 24 horas do dia embrulhada em um cobertor, mas você deve vestir roupas quentes (em camadas), mesmo dentro de casa. Vista um suéter de lã, calças quentes, ceroulas de seda, se tiver, e meias quentes. Se você mora em uma região de temperatura baixa e usa camiseta e shorts dentro de casa, sua conta de aquecimento será alta demais.

Passo 2 Baixe a bola. Em casa, regule o termostato para a temperatura mais baixa que ainda puder proporcionar conforto, e para 15ºC quando estiver fora de casa ou dormindo. Cada grau a menos no aquecimento durante o dia diminuirá em dois por cento a conta de calefação. Colocar um cobertor a mais na cama e dormir a temperaturas mais baixas pode reduzir sua conta em até sete por cento.

Passo 3 Use energia solar. Você não precisa de painéis sofisticados para aproveitar a energia do sol. Basta abrir as cortinas nos dias ensolarados e deixar os raios solares aquecerem sua casa.

Passo 4 Isole-se. Se você tem a sorte de dispor de um cômodo (ou dois, ou cinco) que não usa, feche a porta dele para conservar o calor da área onde vive. Por que pagar para aquecer a casa toda quando você só utiliza três cômodos?

Passo 5 Contenha as "ventosidades". Se sentir uma corrente de ar junto a uma porta ou janela, provavelmente terá perda de calor. Vede as molduras das portas e janelas com massa para calafetar. E coloque embaixo das portas um daqueles tubos de pano cheios de areia ou grãos de feijão.

Passo 6 Use os sentidos. Na estação do frio, decore sua casa em tons de vermelho, dourado ou laranja, para convencer a mente a se sentir aquecida. Acrescente também muita textura, empilhando cobertores volumosos e almofadas macias, criando um local perfeito para você e seu amor (e seus cachorros, se os tiver) se aninharem.

Passo 7 Asse uma torta. (Veja as dicas na página 45). Se o calor do forno não deixá-la aquecida, a expectativa de uma torta talvez ajude.

Refresque-se durante o verão

Passo 1 Aceite o calor. Se não estiver vivendo no deserto de Lut, no Irã, onde foi medida a temperatura mais alta já registrada sobre terra, 70°C, procure evitar manter o ar-condicionado ligado durante todo o dia. Se você estiver usando um suéter em janeiro, sua conta de luz será muito alta.

Passo 2   Seja esperta. Feche as venezianas para bloquear o sol, abra a janela quando o vento estiver fresquinho e antes do pôr do sol evite usar qualquer dispositivo que gere calor (como o forno, a lava-louça e a secadora).

Passo 3   Plante uma árvore. Os galhos darão uma sombra natural para sua casa e também para o quintal. Pendure uma rede, desfrute a brisa e tome uma limonada.

Mais Dicas Úteis

- Se tiver grandes frestas em torno das janelas e portas, vede-as com um material isolante, antes de calafetá-las. Você pode usar pedaços de lã, veludo ou qualquer tecido pesado da sua cesta de retalhos.
- Para fazer sua própria vedação para porta, meça a largura da porta e acrescente 25cm. Corte um pedaço de tecido com esse comprimento e com 30cm de largura. Feche os lados longos, encha o tubo com arroz, feijão ou areia e amarre as pontas com uma fita.
- Instale um ventilador de teto, mais barato que ar-condicionado, para criar uma brisa fresquinha no verão. Girando no sentido inverso, ele também fará o ar circular no inverno.
- Substitua as lâmpadas incandescentes por lâmpadas fluorescentes. Cada lâmpada fluorescente proporcionará em sua vida útil uma economia equivalente a 50 reais.
- Se você estiver com medo do calor, lembre-se: os animais suam, os homens transpiram e as mulheres brilham. Mostre seu brilho, garota!

Domine seus desejos

"Não tínhamos dinheiro para desperdiçar, sempre precisávamos pensar antes de comprar qualquer coisa. Era uma decisão baseada em prós e contras. Fomos criados com o sentido da prudência."

— Alice Loft

Como fazer compras no supermercado

Passo 1   Faça um lanche. Se chegar ao supermercado com o estômago vazio, você correrá o sério risco de entrar na quarta fila de prateleiras faminta a ponto de considerar atraentes aqueles bolinhos recheados. Proteja-se! Coma uma maçã antes de sair.

Passo 2   Faça uma lista de compras e limite-se a ela. As compras por impulso raramente incluem alimentos bons para a saúde. Honestamente, o que você preferiria colocar no carrinho: um saco de batatas fritas ou um saco de batatas? É isso aí, eu sabia. E qual dos dois é mais caro? Ah, eu também sabia.

Passo 3   Limite-se ao perímetro da loja. Pense no supermercado como algo semelhante a um modelo masculino. Tudo o que interessa está do lado de fora e não há quase nada substancial do lado de dentro. Em geral, encontramos as frutas e legumes em uma extremidade da loja, as carnes no fundo e os laticínios na outra extremidade. Tudo o que fica no meio pode ser evitado (e custa caro).

Passo 4 Compre de acordo com a estação. Quanto mais as frutas e os legumes tiverem que viajar para chegar até você, mais caros (e menos saborosos) serão. Prefira os produtos cultivados em sua região, que agradarão mais ao bolso e às papilas gustativas.

Mais Dicas Úteis

- Os preços de produtos processados são muito mais altos, portanto economize dinheiro comprando um pedaço de queijo em vez de comprar queijo fatiado; um frango inteiro em vez de peito desossado; um maço de espinafre, em lugar de folhas de espinafre pré-lavadas.
- Opte pelos produtos da loja, em vez de comprar produtos de outras marcas. Em geral, o teor nutricional é o mesmo.

Pechinche

"Todo dia, passavam carroças vendendo legumes ou frutas. Nós pechinchávamos para baixar o preço, dizendo que estava muito caro ou que não podíamos pagar tanto. Era preciso ser persistente, mas no final conseguíamos o preço desejado. Algumas vezes, eles ficavam firmes e não cediam, mas se você começasse a se afastar, conseguia o preço que queria."

— Grace Fortunato

Como negociar um preço mais vantajoso

Passo 1 Seja corajosa. Você jamais conseguirá um desconto se não pedir. Tudo está em promoção, se você souber pechinchar.

Passo 2 Conheça o mercado. Seja realista quanto ao que deseja pagar. Se todos os comerciantes estão vendendo um saco de maçãs por um preço entre R$ 3,00 e R$ 4,00, não espere comprá-lo por R$ 1,00. Contudo, peça ao vendedor para chegar ao valor do piso. Se for comprar mais quantidade, peça um desconto maior.

Passo 3 Conheça seu público. Você terá mais chance de conseguir um desconto numa loja local em vez de numa loja de uma grande rede, e com um gerente, em vez de um vendedor. Se estiver negociando com alguém que não possa conceder o desconto, peça gentilmente para falar com o superior. Se puder, seja simpática. Ninguém quer fazer concessões a uma perua metida.

Passo 4 Procure defeitos. Isso pode parecer um tanto questionável, mas não é. Examine o artigo que quer comprar procurando imperfeições. Se ele tiver manchas, arranhões, fios puxados ou amassados, você terá mais chance de conseguir um desconto como ponta de estoque, que em geral pode chegar a dez por cento.

Passo 5 Ofereça pagamento em dinheiro. Se você pagar com cartão, a loja será obrigada a repassar uma taxa à empresa do cartão de crédito. Se pagar em dinheiro e pedir um desconto, talvez a loja abata do preço de sua compra o valor da taxa.

Passo 6 Vá embora. Às vezes, o risco de perder a venda é suficiente para fazer o vendedor ceder. Se isso não acontecer, vá mesmo embora. Você já decidiu que o preço não é razoável.

Mais Dicas Úteis

- Fique firme. Quem barganha a sério em geral consegue acordos melhores do que quem é inseguro. Quando finalmente conseguir chegar a um acordo, tente não rir.
- Seja amável. Insultar o vendedor ou os produtos não vai convencer o lojista a fazer-lhe um favor.

Fique atenta às pechinchas

*"Se quiser alguma coisa acima de suas posses,
economize até poder comprá-la."*
— Sue Westheimer Ransohoff

Como aproveitar as promoções

Passo 1   Faça a lista de compras. Não importa se você vai ao supermercado ou à loja de ferragens, decida antes o que precisa comprar e faça uma lista. Ver no papel suas metas de consumo a ajudará a evitar ser seduzida pelas ofertas. Lembre-se, comprar o que não necessita não é um bom negócio, por melhor que seja o preço.

Passo 2   Fique atenta às ofertas. Procure nos jornais, principalmente na edição de domingo, ou busque na Internet as ofertas dos produtos de que precisa. Se não tiver sorte, vá ao site do fabricante ou da loja.

Passo 3   Confira as "promoções da semana". Algumas lojas cobrem a oferta dos concorrentes e honram promoções expiradas. Telefone para a loja para se informar.

Passo 4 Nos grandes mercados, aproveite as promoções instantâneas anunciadas no alto-falante e que costumam valer por alguns minutos. Depois de pagar, confira o recibo e comemore a economia que fez, dançando do lado de fora da loja. (Sugestão: experimente fazer o *moonwalk*. O passinho do Michael Jackson é o máximo. Apenas confira se não tem alguém atrás de você.)

Mais Dicas Úteis

- Nunca faça uma compra pela Internet sem pesquisar preços. Gaste dois preciosos segundos fazendo uma pesquisa no Google e, em geral, você conseguirá no mínimo um frete grátis. É um tempo bem empregado.
- Algumas lojas oferecem cartões de fidelização com os quais é possível comprar com bons descontos. Cadastre-se em tudo o que for gratuito!

Ganhe uns trocados

"Pague ao comprar. Não faça dívidas. E seja consciente do valor de seu dinheiro."

— Jean Dinsmore

Como organizar um bazar em casa

Passo 1   Reúna a mercadoria. Nesse caso, ser organizada também pode significar ficar rica (bem, quase!), portanto examine os armários, olhe embaixo da cama e arrume a garagem. Se encontrar qualquer coisa que (1) não use mais, (2) nunca tenha usado, ou (3) não consiga sequer reconhecer, ponha isso à venda. Junte todos os seus tesouros não usados em um lugar definido, fora do caminho. Quando tiver acumulado o suficiente, marque uma data para o bazar.

Passo 2   Faça a divulgação. Anuncie sua venda para os amigos e a família, coloque um anúncio na Internet e pendure alguns folhetos pela vizinhança. Não deixe de incluir todos os detalhes: a data do bazar (e uma data alternativa, para o caso de problemas no dia marcado), a hora de início e de término, o endereço e alguma informação sobre o que está vendendo. Você não acreditaria na quantidade de gente que gostaria de ter um pôster quase novo do cantor Rick Springfield.

Passo 3 Faça etiquetas de preço. Cole em cada peça uma etiqueta com o preço desejado ou, se quiser sofisticar, amarre com uma fita um pedaço de papelão com o preço. Simplifique os preços (prefira R$ 5,00 a R$ 5,37), para não ter que passar o dia fazendo contas muito loucas. E pregue etiquetas bem visíveis. Alguns compradores podem ser tímidos demais para perguntar o preço, portanto, se eles não conseguirem ver a etiqueta, você perderá a venda.

Passo 4 Prepare a "loja". No dia anterior ao bazar, vá ao banco e pegue dinheiro trocado, em notas de R$ 5,00 e R$ 2,00 e moedas de R$ 1,00 e de R$ 0,50. Guarde os trocados em uma caixa de ferramentas velha ou alguma outra caixa segura. Arrume a entrada da casa. Você quer atrair os potenciais compradores e não os assustar.

Passo 5 Apresente bem a mercadoria. Na noite anterior, organize os artigos por tipo (roupas, eletrônicos, quinquilharias, etc.) ou por preço; arrume-os sobre mesas ou cobertores que poderão ser carregados para fora no início da manhã. Se tiver roupas de qualidade, pendure-as em uma arara para fazê-las parecer elegantes.

Passo 6 Abra a lojinha! Na hora determinada, leve as mercadorias para fora. Os pechincheiros profissionais tendem a aparecer nas primeiras horas, portanto esteja pronta. Sorria e converse com as pessoas que aparecerem. Além de mostrar boa educação, essa atitude a ajudará a vender mais e, melhor ainda, a se divertir mais!

Mais Dicas Úteis

- Se sobrarem artigos, não os jogue fora! Doe para uma organização sem fins lucrativos ou para a obra de caridade de sua preferência.
- Convide os vizinhos e planeje um bazar em grupo. É uma atitude de boa vizinhança e atrairá o dobro da clientela.
- Instale no local da venda uma extensão elétrica para poder ligar os produtos eletrônicos e demonstrar que estão funcionando. Também deixe um espelho à mão para quem quiser experimentar roupas ou óculos escuros.
- Lembre-se, sua meta é livrar-se do que não usa, e não se tornar o Donald Trump, portanto não seja muito inflexível na negociação.

Guarde para o futuro

"Todo mundo economizava. Era preciso, porque ninguém sabia o que o futuro reservava."

— Ruth Rowen

Como formar uma reserva para emergências

Passo 1   Abra uma conta de poupança. Seu objetivo deve ser formar uma reserva equivalente às despesas de três a seis meses, para situações de emergência. Prefira uma aplicação garantida pelo governo, com tarifas mínimas e, se possível, com uma taxa de rendimento razoável.

Passo 2   Diversifique os fundos. Peça ao banco para transferir automaticamente dez por cento de seu salário para essa nova conta, sempre que seu pagamento for depositado. Se nunca vir esse dinheiro, talvez você não sinta a falta dele. Se sentir... bem, aprenda a conviver com essa situação. Pequenos ajustes no orçamento como preparar o próprio lanche em casa ou dirigir um pouco menos podem fazer muita diferença.

Passo 3 Fique feliz com seu sucesso. Confira sua poupança algumas vezes por ano para ter certeza de que ela está crescendo adequadamente.

Mais Dicas Úteis

- Se estiver planejando ter um filho, comprar uma casa ou mudar de carreira, abra uma poupança separada para esse projeto e dê a ela um nome significativo. Por exemplo, "Dinheiro para as fraldas", "Minha grande chance no emprego dos sonhos" ou "Hospedagem em albergue, nunca mais". Isso a ajudará a usar o dinheiro apenas para o objetivo definido.
- Cobre juros de si mesma. Jure que nunca vai lançar mão do dinheiro reservado para emergências antes de depositá-lo, mas se precisar fazer isso, obrigue-se a devolver o que pegou mais dez por cento de juros.
- Alô, acorde! Sei que esses assuntos financeiros são chatos e pouco atraentes, mas são muito importantes. Preste atenção a eles!
- Cultive a sorte! Para poupanças pequenas, escolha um valor de moeda favorito, seja 25, 50 centavos ou 1 real. Sempre que receber como troco uma moeda desse valor, guarde-a em um vidro ou caixa de sapatos. Todo mês, deposite o conteúdo da caixa em sua poupança.

Viva uma vida mais rica

"Nós vivíamos em uma área rural, perto da via férrea, e os desempregados pegavam carona nos trens de carga. Eles percorriam a região e nos perguntavam se tínhamos alguma comida para eles, porque estavam com fome e sem dinheiro. Minha mãe sempre preparava um prato e eles se sentavam na varanda e comiam. Era normal fazer isso. Não parecia nada de mais."

— ALICE LOFT

Como compartilhar a sorte (mesmo em tempos difíceis)

Passo 1 Sonde seu coração. A quem você dá é muito mais importante do que quanto você dá. Identifique suas metas e classifique-as em ordem decrescente de importância. Localize uma instituição de caridade (regional ou global, pequena ou grande) que corresponda a suas aspirações. Quanto melhor for essa correspondência, mais satisfação você terá com o que doar e mais chance terá de continuar a contribuir. Quanta felicidade! Isso é um círculo virtuoso.

Passo 2 Confira seu orçamento. Se no final de cada mês você puder doar algum dinheiro, faça isso. Junte moedas num vidro. Ou arredonde seu salário e reserve a sobra para caridade. (Se você ganhar R$ 213,00, reserve R$ 13,00 para doações.)

Passo 3 Prepare o cheque. Às vezes essa é a parte mais difícil, mas prometo que também será a mais gratificante. Não consegue fazer a caneta correr pelo papel? Programe com seu banco pagamentos automáticos para a instituição de caridade de sua preferência, para não precisar nem pensar sobre isso. Mesmo que seja uma quantia muito pequena, será uma ajuda.

Passo 4 Seja espontânea. Quando os tempos são difíceis, encontramos diariamente pessoas necessitadas. Leve com você uma ou duas frutas a mais para distribuir quando pedirem. Com certeza isso será muito apreciado.

Mais Dicas Úteis

- Pergunte a sua empresa se ela tem um programa social. Muitas vezes, a empresa contribui com uma quantia igual à da sua doação.
- Se não puder doar dinheiro, doe tempo. Muitas organizações dependem das habilidades e da boa vontade de estranhos para funcionar.
- Quando o supermercado fizer uma grande promoção, tal como uma oferta de alimentos não perecíveis, compre uma quantidade maior e divida o benefício com uma obra de caridade de sua região.
- Periodicamente, reúna o que não usa e doe esses artigos para um **bazar de caridade** próximo. O benefício é duplo: você organizará sua casa e se sentirá gratificada.

Compre sem dinheiro

"Quando eu era muito pequena e nossos vizinhos queriam hortaliças, nós fazíamos trocas com eles. Eles vinham e diziam que queriam alguns legumes e eu apenas dizia "Ok" e ia com eles para a horta. Era só mais uma visita e mais alguma coisa a fazer."

— Elouise Bruce

Como fazer escambo

Passo 1 Divida uma folha de papel em duas colunas. Na primeira, liste os objetos que gostaria de trocar (por exemplo, os DVDs que você não assiste mais, um conjunto muito feio de saleiro e pimenteiro, um laptop velho) e as habilidades que você tem para oferecer (por exemplo: fazer tortas, pregar botões, tricotar cachecóis). Na segunda coluna, relacione os bens e serviços de que precisa ou que deseja (por exemplo: os DVDs que você realmente assistirá, aulas de piano, uma caixa de cartões artesanais).

Passo 2 Ponha a boca no mundo. Pergunte aos amigos e conhecidos se gostariam de fazer trocas com você. Se tiver um bom relacionamento com os profissionais de sua região, como um advogado, um contador ou aquela fantástica designer de joias do fim da rua, fale com eles sobre a possibilidade de trocar serviços (naturalmente, antes de fechar negócio). Se for rejeitada, não veja isso como uma questão pessoal.

Passo 3   Se todos os seus amigos forem ultracapitalistas que só reagem a papel-moeda, comece por reavaliar sua vida. Em seguida, vá para a Internet procurar outros parceiros de escambo. Um bom lugar para começar são os sites de trocas.* Eles permitem que você anuncie seus bens e serviços e percorra o mercado para ver o que os outros estão oferecendo.

Passo 4   Anuncie continuamente. Quando se espalhar a notícia de que você está disposta a fazer trocas, as pessoas começarão a procurá-la.

Mais Dicas Úteis

- Se você conhecer alguém que tenha uma horta, um pomar ou uma fazenda, ofereça-se para capinar, podar árvores ou colher legumes em troca de uma pequena colheita pessoal (por exemplo, uma cesta de tomates, algumas maçãs ou uma panela de feijões).
- Se você acha tudo isso muito estranho, bem... talvez seja no início. Mas a satisfação das partes envolvidas depois de um bom escambo faz com que essa iniciativa valha a pena.

---

* Como o www.xcambo.com.br. (*N. da E.*)

9
Na comunidade

Sua comunidade é sua rede de segurança. Não seja uma eremita. Quanto mais você der, mais receberá.

Pratique a boa vizinhança

*"Quando alguém se mudava para o bairro,
era costume levar um bule de café e um bolo feito em casa.
Você procurava conhecer as pessoas e todos cuidavam uns
dos outros. Ninguém fazia nada grandioso, mas sempre
senti que numa dificuldade certamente podia
pedir ajuda aos vizinhos."*

— Nikki Spanof Chrisanthon

Como aproveitar a companhia dos vizinhos

Passo 1 Comece da forma certa. Receba os novos vizinhos com um bolo ou biscoitos, um buquê de flores, uma garrafa de vinho ou simplesmente um sorriso e um papo. (Se a recém-chegada for você e os vizinhos forem tímidos, apresente-se.) Quanto mais você praticar a boa vizinhança, melhores vizinhos terá.

Passo 2 Dê uma mãozinha. Se seu vizinho estiver em dificuldade com as sacolas do mercado, ofereça ajuda. Se os vizinhos planejarem viajar, ofereça-se para ficar de olho na casa, recolher a correspondência, dar comida ao cachorro ou regar as plantas. Se eles precisarem de alguma coisa emprestada, como uma xícara de açúcar ou um serrote, seja generosa. Você verá que, quando precisar de ajuda, eles também estarão à sua disposição.

Passo 3   Defina limites. Resista à tentação de bisbilhotar, espionar ou espiar por cima do muro. Procure ser amiga, sem ser sufocante. Respeite a privacidade dos vizinhos e eles também respeitarão a sua.

Passo 4   Fale baixo. No máximo um quintal e uma parede fina separam você dos vizinhos ao lado, portanto faça o mínimo de barulho. Acalme seu cachorro quando ele latir, baixe o som do hip-hop, passe o aspirador de pó durante o dia e procure não se entusiasmar demais durante a noite. Em caso de dúvida, lembre-se da regra de ouro e pergunte a si mesma o que não se importaria de ouvir seus vizinhos fazerem.

Passo 5   Mantenha a ordem. Se os irmãos Maysle baterem à sua porta pedindo permissão para filmar *Grey Gardens 2**, você saberá que deixou as coisas fugirem ao controle. Mantenha seu gramado em uma altura razoável e o quintal e a casa livres de lixo e tralhas inúteis. Com certeza você prefere que os vizinhos gostem de viver a seu lado e não se arrepiem cada vez que passam em frente à sua casa.

Mais Dicas Úteis

- Se seus filhos são amigos dos filhos do vizinho, ótimo! Só não deixe de chamá-los para almoçar em casa, evitando que se tornem um peso para o pessoal da casa ao lado.
- Não julgue. Abra seu coração, mesmo que os vizinhos não sejam exatamente como você — sejam, por exemplo, dois homens muito bonitos, uma família que todo mês de de-

---

* Documentário que mostra a dilapidada mansão de Edith Bouvier Beale, tia de Jacqueline Onassis. (*N. da E.*)

zembro encena o nascimento de Cristo no jardim ou um casal que passa o domingo em trajes do período elisabetano. É justamente com quem é mais diferente de nós que mais aprendemos. No fim, você pode até aprender a amá-los.

Mantenha a paz

"Não tínhamos nenhum problema em nosso bairro. Cada morador, fosse açougueiro, sapateiro ou barbeiro, varria a calçada e jogava o lixo fora."

— Grace Fortunato

Como lidar com um problema em sua vizinhança

Passo 1 Estude a situação. Quando vivemos muito perto, é provável que os vizinhos em algum momento nos causem aborrecimentos, assim como nós os aborrecemos. Se eles cometeram uma ofensa isolada — o cachorro deles fez cocô em seu quintal, o lixo deles voou para sua entrada de garagem ou eles tocaram um break muito alto à noite —, dê-lhes uma chance. Mas se isso acontecer com regularidade ou eles estiverem fazendo algo que pode afetar sua felicidade ou o valor de sua propriedade, vá para o passo 2.

Passo 2 Corte o mal pela raiz. Se você for amiga da vizinha, telefone ou, melhor ainda, convide-a para um café uma tarde qualquer. Sem raiva, reprovação ou acusação, discuta o problema abertamente e com honestidade. Você pode muito bem descobrir que ela não imaginava estar incomodando e que ficará muito feliz em mudar de comportamento. Ou ainda, ela pode precisar apenas de alguma ajuda, portanto ofereça-se para contribuir.

Passo 3 Se isso não funcionar ou você se sentir ameaçada, procure ajuda. Leve a questão ao conhecimento das autoridades locais (se preferir, de forma anônima) e peça aos outros vizinhos, inclusive os comerciantes, para fazer o mesmo.

Passo 4 Organize sua vizinhança. Pense em convocar uma reunião de moradores para discutir possíveis soluções para o que estiver incomodando. Será mais fácil combater uma perturbação (ou ameaça) se vocês agirem em conjunto.

Mais Dicas Úteis

- Se você procurar conhecer seus vizinhos (ver página 263), estará mais equipada para lidar com problemas que possam surgir no futuro.
- Nunca confronte seus vizinhos quando estiver com raiva. Se estiver muito irritada, tome um martíni (ver página 293), vá dormir (ver página 203), acorde feliz (ver página 27), e procure-os no dia seguinte, depois de ter se acalmado. Ninguém quer dizer alguma coisa da qual possa se arrepender. Afinal, você tem que viver ao lado dessas pessoas.

Expanda seu círculo de amizades

"Para ter amigos, é preciso ser amiga."
— BEATRICE NEIDORF

Como conquistar amigos

Passo 1 Saia de casa. É muito improvável que brotem amigos entre seu sofá e a televisão. Para encontrar companhia, você precisa sair.

Passo 2 Associe-se. Se for uma atleta, entre para um time; se gostar de ler, participe de um clube de leitura; se for hedonista, matricule-se em um curso de degustação de vinhos. Seja qual for seu hobby, procure uma situação em que encontre pessoas com os mesmos interesses. Isso lhe dará um tema para conversação e o resto virá com mais facilidade.

Passo 3 Nutra a camaradagem. Arrisque-se e convide uma (ou mais) de suas conhecidas para tomar uma cerveja depois do clube de leitura ou para visitar uma exposição depois da aula de fotografia. Provavelmente, seu convite será bem recebido e valerá a pena ter corrido o risco.

Passo 4 Seja simpática. Se quiser que seu círculo de amizades cresça, é preciso ser uma boa amiga: escute, comemore o sucesso dos amigos, dê-lhes apoio quando fracassarem e procure se divertir com eles.

Mais Dicas Úteis

- Diversifique suas amizades. É bom ter uma colega de trabalho, uma amiga para as festas, uma companheira de ginástica, uma conterrânea e outras opções. Nem todas precisam ser almas gêmeas. Esperar demais de qualquer amizade só vai causar-lhe decepções.
- Prefira qualidade a quantidade. O que conta não é o número de contatos em seu celular. É o número de amigos que responderão a seu chamado quando você precisar deles.
- Mesmo que você tenha centenas de amigos no Facebook, isso não significa que não precise ter também amigos de carne e osso. Não existe substituto virtual para um abraço ou uma boa gargalhada.
- Seja paciente. Podem ser necessários anos para se criar intimidade. Em vez de se preocupar com o que não recebe dos amigos, sinta-se abençoada pelo que eles lhe proporcionam.

Convoque apoio

"Em minha vida, passei por dificuldades, e meus amigos íntimos sabem quando estou no sufoco. Se for um amigo ou vizinho, ele dirá: 'Se precisar de mim, estou aqui.' Se tiver coragem, você dirá: 'Preciso conversar com alguém. Você pode me ouvir?' E quando sei de alguém com um problema, digo: 'Estou aqui se você precisar de mim. Basta chamar.'"

— Grace Fortunato

Como pedir ajuda

Passo 1 Seja franca. Se estiver com problemas, não sofra em silêncio. Em vez disso, levante a cabeça, respire fundo e apele para alguém de confiança. Conversar com uma amiga fará você se sentir apoiada e ela se sentir valorizada. É uma situação em que todos ganham.

Passo 2 Seja objetiva sobre suas necessidades. Você precisa de compreensão, orientação ou ação? É mais fácil conseguir o que precisa se pedir claramente.

Passo 3 Agradeça. Diga a sua amiga que você retribuirá o favor algum dia.

Passo 4 Sinta orgulho. Ao procurar ajuda, além de ficar mais perto de resolver o problema, você demonstrará muita habilidade e coragem. Bata no peito algumas vezes ou dê um soco no ar. Você é ótima!

Mais Dicas Úteis

- Se estiver realmente com dificuldades, tente ajudar alguém. Além de se sentir mais poderosa imediatamente, você também adquirirá confiança em sua própria capacidade para resolver problemas.
- Não espere de sua confidente uma solução instantânea (ou todas as respostas). Saiba que o máximo que ela pode fazer é orientá-la para uma mudança; você terá de fazer o resto.

Cultive a cultura

"Não se esqueça de que o mundo é um grande espaço onde você pode empregar seus talentos."

— Lucile Frisbee

Como formar um clube de leitura

Passo 1   Examine o entorno. Antes de começar o próprio clube de leitura, verifique se já não existe por perto algum que você gostaria de frequentar. Se não conseguir encontrá-lo (ou se o que encontrar não for do seu gosto), avance para o passo 2.

Passo 2   Verifique sua pauta. O objetivo de seu clube de leitura é promover a crítica cultural ou dar-lhe uma desculpa para ver as amigas e tomar umas e outras? Você gostaria de analisar toda a obra de Danielle Steell ou de ler os clássicos? Quanto mais clareza tiver de suas intenções, maior será o sucesso de seu clube.

Passo 3   Recrute novos membros. De acordo com sua resposta às perguntas do passo 2, convide leitores de seu círculo social, local de trabalho e comunidade. Se não conseguir o número suficiente de membros somente no boca a boca, tente espalhar folhetos ou colocar um anúncio na Internet. O ideal é ter de 3 a 12 companheiros de leitura.

Passo 4 Marque o primeiro encontro. Se o grupo for composto por amigos, sinta-se à vontade para fazer a reunião em sua casa. Se incluir estranhos, marque o encontro em um café, bar ou biblioteca, para que todos se sintam bem.

Passo 5 Defina regras. No primeiro encontro, os participantes devem se apresentar e decidir (1) como irão escolher os livros que serão lidos; (2) onde, quando e com que frequência se reunirão; (3) quem será o mediador da discussão; e o mais importante: (4) se serão servidas comidas e bebidas e quais serão elas. Definidas essas questões, escolham um primeiro livro e comecem a ler.

Mais Dicas Úteis

- Para uma boa discussão literária, não é preciso haver comida e bebida (principalmente bebida), mas essas coisas costumam ajudar a reunião a parecer menos com trabalho e mais com diversão.
- Não tenha medo de falar, mesmo que seja nova no grupo. Você aprenderá e se divertirá mais se tiver uma participação ativa.
- Seja cortês. Se não gostar do livro escolhido pelo anfitrião, leia-o assim mesmo. Você poderá se surpreender com a quantidade de gêneros que aprenderá a apreciar.
- Tudo no livro é passível de discussão. Mesmo que você tenha detestado a obra e tenha desistido de lê-la depois de 15 páginas, lembre-se de que tem uma contribuição a dar: sua opinião.

- Se estiver insegura para comandar a reunião, procure na Internet uma orientação para grupos de leitura. Muitas editoras publicam na Internet essas dicas antes que os livros cheguem às livrarias.

Seja útil

"No trabalho voluntário, sou tão beneficiada quanto ajudo."
— Beatrice Neidorf

Como ser voluntária

Passo 1 Harmonize suas habilidades e suas paixões. Há uma infinidade de maneiras de melhorar o mundo e cabe a você determinar como pode ajudar mais. Pergunte-se o que tem para oferecer e que metas gostaria de alcançar. Quanto mais significativo e satisfatório for o trabalho, maior a probabilidade de que você persista nele e opere uma transformação real.

Passo 2 Encontre tempo, mas seja realista nessa questão. Para ser uma voluntária valiosa, não é preciso dedicar vinte horas por semana. Muitas organizações precisam de qualquer ajuda, mesmo que seja somente por um dia. Se você não dispõe de muito tempo, inscreva-se em um mutirão para limpar um parque, colete roupas e objetos para obras de caridade ou ofereça-se para doar um prato para feira de comidas em uma escola. Se puder se dedicar a uma atividade mais regular, de uma ou duas horas por semana (se alguma vez já se apanhou vendo reprises de reality shows, isso não será difícil), pesquise na Internet oportunidades perto de você.

Passo 3   Honre o compromisso assumido: seja pontual, avise se não puder comparecer e seja educada com todos com quem estiver trabalhando.

Passo 4   Persista. É preciso tempo para transformar o voluntariado em um hábito e para ver os frutos desse trabalho. Conceda-se algumas semanas ou meses para encontrar seu ritmo. Logo você verá o valor de sua contribuição e se sentirá bem, sabendo que ajudou a melhorar o mundo. Esse é o momento de começar a cantar "We Are The World".

Mais Dicas Úteis

- Se não estiver gostando de seu trabalho voluntário, não abandone completamente esse tipo de atividade. Despeça-se gentilmente e procure um lugar onde se sinta melhor.
- Experimente tirar férias como voluntária! O que você preferiria escrever em seus cartões-postais para casa: "Mamãe, ontem ganhei o concurso de camisetas molhadas e hoje dormi até meio-dia" ou "Mamãe, hoje salvei doze filhotinhos de tartaruga marinha!"? Encontre oportunidades fantásticas nos sites www.voluntarios.com.br e GlobalVolunteers.org.

Diga com um sorriso

"Jamais cause dor a alguém intencionalmente. Sempre pense antes de abrir a boca, trate todo mundo como gostaria de ser tratada e respeite os sentimentos de todos."

— Nikki Spanof Chrisanthon

Como ganhar uma discussão totalmente sem sentido (falando pouco)

Passo 1   Escute. Todo mundo tem a própria verdade, mesmo que esteja errada. Ouvir alguém não significa estar de acordo.

Passo 2   Reflita as emoções de sua amiga. Em vez de se envolver numa discussão acalorada de cada detalhe, faça alguma avaliação gentil da atitude ou do estado mental dela (por exemplo: "Parece que essa questão deixa você realmente envolvida.").

Passo 3   Revele o denominador comum. Fazer perguntas positivas ou perguntas para as quais ela terá que responder afirmativamente pode ajudá-la a lembrar que você é uma amiga e não uma oponente.

Passo 4   Resolva a questão. Uma vez que identifique ideias em comum, promova-as. Lembre-se, você não precisa concordar com ela em todos os aspectos para entender os sentimentos e as experiências dela.

Mais Dicas Úteis

- Mantenha a calma e sorria. Em geral, o que fazemos é tão importante quanto o que dizemos.
- Abra sua mente. Lembre-se de que muitas discussões são simplesmente idiotas e existe uma chance mínima de que você esteja errada.
- Se nada mais der certo, diga alguma coisa agradável — qualquer coisa em que consiga pensar — e vá embora.

Faça-se ouvir

"Tenho um imenso interesse pelo processo político. Ao longo dos anos, você acaba por conhecer todo mundo. Todas as minhas causas são importantes para mim, mas também ganho pelo fato de me envolver. Não sou uma pessoa fantástica, só estou me divertindo!"

— Sue Westheimer Ransohoff

Como dizer o que pensa numa reunião comunitária

Passo 1 Ensaie seu discurso. Faça algumas anotações sobre o que gostaria de dizer e apresente sua fala diante dos amigos e da família. Praticar em frente de algumas pessoas a ajudará a sentir mais confiança quando se dirigir a um grupo maior.

Passo 2 Diga o que pensa. Quando for sua vez de falar, apresente-se e, por mais envolvida que esteja, exponha seus argumentos de forma tranquila, clara, sucinta e cuidadosa. Se falar com convicção, você será ouvida. Se gritar, os ouvintes vão se fechar. (E se rimas produzir, também irá se divertir!)

Passo 3 Agradeça a atenção da plateia e depois sente-se e escute. Talvez se surpreenda com o quanto poderá aprender.

Mais Dicas Úteis

- Se praticar seu discurso em casa, ensaie em vários lugares diferentes. Dessa forma, não se intimidará com um ambiente novo.
- Quando chegar diante do microfone, não bata nele, dizendo "Está ligado?". Simplesmente comece a falar e você saberá.
- Vista-se de forma profissional. Suas palavras terão muito mais peso se você se apresentar como um membro importante da comunidade, em vez de parecer uma intrometida que está ali apenas para aproveitar a boca-livre.

Defenda seus direitos

"A boa cidadania exige envolvimento."
— Lucile Frisbee

Como escrever uma carta para um governante

Passo 1   Identifique seus representantes. Seu próprio governante terá mais interesse por seus problemas, uma vez que é obrigação dele agir em seu benefício. Além do mais, eles precisam de seu voto para se eleger. Você pode encontrar o nome e o endereço de seus representantes na Internet.

Passo 2   Diga o que deseja. Comece por dirigir-se formalmente ao destinatário e depois apresente de forma clara e sucinta o objetivo de sua carta (por exemplo: "Caro senador, por favor, escute o que diz sua avó. Ela tem muito a lhe ensinar.").

Passo 3   Identifique-se. Em uma ou duas frases, explique por que você pode falar com autoridade sobre a questão (por exemplo: "Tenho ouvido as opiniões dela durante toda a minha vida e posso garantir que ela tem coisas valiosas para ensinar.").

Passo 4 Apresente seus argumentos. Fortaleça sua posição citando fatos, em vez de apelar para a emoção (por exemplo: "Por ter sobrevivido a tempos difíceis, sua avó mostrou que é muito mais esperta e habilidosa que o senhor. Ela nunca o aconselharia a contrair essa dívida ou dividir nossa comunidade. Além disso, ela sabe fazer uma torta *e* cantar em coro.").

Passo 5 Reafirme seu pedido e, por via das dúvidas, agradeça antecipadamente porque, quem sabe, um pouco de cortesia (ou culpa) pode trazer algum resultado (por exemplo: "Portanto, por favor, ligue para sua avó e escute o que ela diz. Muito obrigada!").

Passo 6 Assine e date a carta. Não se esqueça de incluir seu endereço para o caso de seu parlamentar querer responder (exemplo: "Com amor, Mamãe.")

Mais Dicas Úteis

- Pense na possibilidade de publicar sua carta em um jornal local ou na seção de cartas dos leitores de jornais de maior circulação.
- Se seus amigos, parentes e vizinhos compartilham de suas opiniões e sentimentos, peça-lhes para também escreverem uma carta.
- Seja ultramoderna. Mandar um e-mail para seu governante também funciona, caso você queira usar tecnologia de ponta.

10

Em sociedade

Crie sua própria diversão.
Isso a deixará mais feliz e mais rica (em todos os sentidos).

Melhore com a idade

"Fazíamos nosso próprio vinho. Às vezes ele ficava bom, às vezes não. É claro que também ficávamos bêbados. Uma vez, pusemos o vinho para fermentar na sala da casa e os vapores deixaram todo mundo tonto!"

— Nikki Spanof Chrisanthon

Como fazer vinho de dente-de-leão

Passo 1 Numa tarde de sol, tire os sapatos, vá para o quintal e colha uma vasilha de dois litros cheia de flores frescas de dente-de-leão. Você só usará as pétalas da flor, portanto, arranque-as e lave-as bem. (As folhas e o caule deixam o vinho amargo.)

Passo 2 Em uma panela grande, coloque sua colheita e despeje sobre ela quatro litros de água fervente. Deixe as flores macerarem durante três dias. Coe o líquido para outra panela através de uma gaze, espremendo todo o suco das pétalas. Use as pétalas para fazer adubo composto (ver a página 69).

Passo 3 Adicione nove xícaras (ou dois quilos) de açúcar cristal e o suco de 4 laranjas e 3 limões.

Passo 4 Em meia xícara de água morna, dissolva um pacote de levedura para vinho (encontrada em lojas especializadas em artigos para fabricar vinho) ou levedo seco ativo (encontrado em qualquer supermercado); despeje a solução de levedo na panela.

Passo 5 Depois de misturar bem, despeje o vinho em um garrafão com capacidade para 7 a 11 litros (ou em várias jarras de 4 litros). Para evitar que o vinho fique avinagrado, coloque um balão de gás vazio sobre a boca do garrafão (o balão será inflado à medida que o vinho fermentar). Melhor ainda é usar um borbulhador (*airlock*), uma peça barata que pode ser encontrada em qualquer loja de artigos para fabricação de vinho. Coloque o garrafão em um armário fechado durante mais ou menos 6 semanas.

Passo 6 Coe o vinho através de uma gaze para remover os sedimentos. Repita, se necessário, até que a bebida fique transparente. Coloque-o em garrafas ou vidros. Arrolhe ou tampe bem Sirva gelado. É como beber a pura luz do sol.

Mais Dicas Úteis

- Para um sabor melhor, colha o dente-de-leão quando as flores estiverem totalmente abertas.
- Se não puder fazer o vinho imediatamente, guarde as flores no freezer.
- Experimente dar mais sabor ao vinho acrescentando cascas de limão, cravos-da-índia, gengibre, cerejas ou o que preferir.
- Para um vinho ainda mais suave, no passo 3 acrescente à mistura meio quilo de passas.

Mate a sede

"Nós começamos por tomar uma bebida com as visitas e depois passamos a tomar umas e outras de vez em quando, sem motivo. Nunca ficamos conhecidos por beber abertamente, mas quando fazíamos isso, nos arrependíamos no dia seguinte."

— Alice Loft

Como fabricar a própria cerveja

Passo 1 Providencie o equipamento. Você pode montá-lo por conta própria ou ir a uma loja (física ou virtual) de artigos para cervejaria e comprar um kit para principiantes. Vale a pena! Eis o que é necessário:

- Um panelão com capacidade para 11 a 15 litros
- Uma colher de metal de cabo longo
- Uma bombona de vidro (um daqueles garrafões gigantescos geralmente usados para vender água) com capacidade para 25 litros e com tampa.
- Um balde de plástico de 20 litros ou mais
- Dois metros de tubo de plástico transparente (com diâmetro aproximado de 1cm)
- Um borbulhador (*airlock*)
- Uma rolha de borracha com um buraco no meio (semelhante a uma rosquinha)
- Um funil

- Um termômetro
- Água sanitária
- Uma jarra para leite ou vinho, vazia
- Uma dose de vodca (ou duas, se você quiser uma)
- 60 garrafas de cerveja de 350ml
- 60 tampinhas de cerveja novas
- 1 colocador de tampinhas

Passo 2   Reúna os ingredientes. A maioria das cervejas precisa de quatro ingredientes: água, malte, lúpulo e fermento. (Também será preciso um pouco de açúcar de milho para o engarrafamento.) Para uma cerveja do tipo Pilsen, separe 2,5kg de extrato de malte de cevada Pilsen, 60g de lúpulo, um sachê de fermento seco para cervejaria e um pouco de açúcar de milho (dextrose).

Passo 3   Lave o equipamento de fermentação, fazendo o máximo para higienizá-lo, para não estragar a cerveja. Como fazer isso: encha a bombona com água, acrescente 5 colheres de sopa de água sanitária e agite bem. Encha um panelão ou a pia com 4 litros de água, adicione 1 colher de sopa de água sanitária e mergulhe nessa solução o termômetro, o funil, a tampa da bombona, o tubo de plástico, a rolha de borracha e um par de luvas de borracha. Deixe tudo de molho durante 20 minutos e depois enxágue com água quente ou fervente. A partir de agora, só toque nesses objetos se estiver usando as luvas de borracha esterilizadas.

Passo 4   Agora vem a parte divertida: preparar a cerveja! Aqueça 6 litros de água no panelão. Quando a água estiver muito quente, acrescente o extrato de malte e a metade do lúpulo, mexendo constantemente até dissolver os ingredientes. Então, deixe a mistura entrar em ebulição. (Fique de olho, para que não derrame.) Depois de 40 minutos, acrescente a metade restante do lúpulo para acentuar o sabor. Ferva por mais 17 minutos.

Acrescente o restante do lúpulo para dar aroma e ferva durante mais 3 minutos.

Passo 5   Coloque o funil na boca da bombona e despeje nela 11 litros de água de nascente.

Passo 6   Mexa bem o conteúdo da panela, agora conhecido como mosto, fazendo um movimento circular para que o lúpulo forme um cone no centro da panela. Então despeje com cuidado o mosto dentro da bombona, sem deixar passar o lúpulo. Tampe a bombona e agite-a vigorosamente para que a água e o mosto fiquem completamente misturados. Se o recipiente não estiver cheio até o alto, complete com mais água fria e agite novamente.

Passo 7   Retire a tampa, mergulhe o termômetro esterilizado no mosto e verifique a temperatura. Se ela for igual ou inferior a 25°C, adicione o fermento. Caso contrário, encha a banheira ou a pia com água fria, coloque alguns cubos de gelo e esfrie a bombona. (Não torne a colocar o termômetro usado no mosto; esterilize-o novamente antes de tornar a usá-lo.)

Passo 8   Depois de acrescentar o fermento, tampe a bombona com a rolha de borracha com furo central e insira no furo o tubo de plástico (tubo de fermentação), com cuidado para que ele não toque na cerveja. Coloque a outra ponta do tubo dentro de uma velha jarra de leite (ou garrafa de vinho, panela, balde, qualquer coisa) com água até um quarto da capacidade e com algumas gotas de água sanitária. O tubo recolherá qualquer líquido que extravase, sem permitir que o ar contaminado entre no fermentador.

Passo 9   Relaxe durante 2 ou 3 dias e observe. Durante esse período, a cerveja vai espumar alucinadamente. Ela pode até deixar extravasar alguma espuma para dentro do tubo e da jarra com água. Isso é apenas o efeito do fermento que está convertendo os açúcares do malte em álcool e gás carbônico.

Passo 10 Quando a cerveja parar de espumar, esterilize o borbulhador. Em seguida, remova o tubo de plástico e insira o borbulhador no furo da rolha. Encha-o com a água ou, ainda melhor, com vodca. O ar poderá sair, mas as bactérias não conseguirão entrar.

Passo 11 Agora vem a parte mais difícil: esperar. Guarde a bombona em um local fresco e escuro (como um armário) e deixe-a descansar por duas semanas. Passe esse tempo imaginando um nome para sua criação ou, se preferir, fazendo rótulos para as garrafas.

Passo 12 Prepare-se para engarrafar a cerveja! Em primeiro lugar, lave e esterilize as garrafas, as tampinhas, o tubo de plástico (novamente) e o balde de plástico de 20 litros, enchendo o tanque com água, acrescentando 1 colher de sopa de água sanitária para cada 4 litros de água e deixando todo o material de molho durante 20 minutos. Enxágue as garrafas com água fervendo e deixe-as escorrer com a boca para baixo em um escorredor de pratos.

Passo 13 Em uma panela pequena, ferva 2 xícaras de água, acrescente 60g de dextrose (mais ou menos 3/4 de xícara) e mexa até dissolver o açúcar.

Passo 14 Coloque a bombona em cima do balcão da cozinha e retire a tampa de fermentação.

Passo 15 Ponha o balde esterilizado no chão, embaixo da bombona e despeje nele a solução de açúcar de milho.

Passo 16 Pegue o tubo de plástico, encha-o com água mineral e tampe as duas extremidades com os polegares.

Passo 17 Coloque uma extremidade do tubo na cerveja e deixe a outra extremidade despejar a água dentro do balde. O resto da cerveja irá seguir magicamente a água. Deixe a cerveja escorrer para o balde até sobrar apenas 1cm de líquido no fundo da bombona. Esse processo, conhecido como trasfega, ajuda a separar a deliciosa cerveja do sedimento viscoso que se formou no fundo.

Passo 18 Leve o balde cheio de cerveja para o topo da bancada e arrume as garrafas secas e esterilizadas no chão, abaixo dele. Mais uma vez, esterilize o tubo de plástico por segurança, encha-o novamente com água mineral, tampe as extremidades com os polegares, coloque uma ponta na cerveja e segure a outra ponta num nível mais baixo até que a cerveja comece a escorrer.

Passo 19 Enfie o tubo até o fundo da garrafa e encha-a até 2cm da boca. Pince ou dobre o tubo para parar o fluxo. Repita essa operação para encher todas as garrafas.

Passo 20 Coloque a tampa em cada garrafa, sem tocar no interior, e fixe-a com o colocador de tampinhas. Se tiver feito rótulos, cole-os agora.

Passo 21 Armazene as garrafas a temperatura ambiente durante mais 10 dias.

Passo 22 Leve para gelar e depois saboreie sua cerveja caseira! Garanto que será a coisa mais deliciosa que você já provou.

Mais Dicas Úteis

- Se não quiser comprar garrafas de cerveja, peça em um bar perto de sua casa para guardarem as garrafas vazias ou dê um passeio num dia de coleta de lixo reciclável.

- Para outras receitas, faça uma pesquisa na Internet ou peça informações nos sites de produtos para cervejaria caseira www.cervejartesanal.com.br; www.cervejacaseira.com.br. Algumas lojas vendem os ingredientes em kits de acordo com o tipo de cerveja que se deseja preparar (porter, preta, alemã etc.).

Brinde à sua saúde

"Meus pais sempre tinham uísque em casa. Fui criada aprendendo a tomar um drinque e segurar a onda."

— Sue Westheimer Ransohoff

Como preparar o coquetel perfeito

Manhattan (Muito chique!)

Passo 1   Encha com gelo a sua brilhante coqueteleira de prata e comece a salivar.

Passo 2   Adicione 30ml de bourbon.

Passo 3   Misture 15ml de vermute doce.

Passo 4   Complete com 5 ou 6 gotas de Angostura.

Passo 5   Agite vigorosamente, enxugando a saliva do queixo com a manga da blusa.

Passo 6   Verta o drinque em uma taça de coquetel; se quiser, acrescente uma cereja.

Martíni (Muito bacana!)

Passo 1 Numa coqueteleira grande, despeje 30ml de gim sobre gelo.

Passo 2 Acrescente 15ml de vermute seco.

Passo 3 Agora vamos ao ingrediente secreto muitas vezes esquecido: acrescente um pouco de bitter de laranja.

Passo 4 Agite vigorosamente, até a coqueteleira começar a suar. Se você também começar a suar, vai saber que está agitando com excesso de energia. Baixe um pouco a bola.

Passo 5 Esfregue uma casca de limão na borda da taça.

Passo 6 Coe sua delícia para dentro da taça.

Passo 7 Pegue uma casquinha de limão pelas duas extremidades e torça-a para que o óleo esguiche na bebida. Então, coloque-a dentro da taça.

Mais Dicas Úteis

- Beba seus coquetéis em taças de 60 a 90ml e não no aquário dos peixes.
- Resfrie previamente as taças, enchendo-as com gelo e água até que o coquetel esteja pronto para servir.
- Ouça uma música. Beber enquanto conversa, dança ou canta é legal. Beber em silêncio ou vendo televisão é muito menos divertido.

Ponha sua marca

"De vez em quando, fazíamos uma festa à noite e um cara de outra cidade trazia o acordeão. Tínhamos uma sala grande, enrolávamos os tapetes e todo mundo dançava."

— Jean Dinsmore

Como enviar um convite

Passo 1 Planeje o evento. Isso não é complicado, porém, antes de convidar qualquer um dos seus amigos, é claro que você precisa decidir sobre a data, a hora e o local de sua festa.

Passo 2 Elabore a lista de convidados. Leve em consideração o local da festa. Você não vai querer que ele fique cheio demais (muito quente!) ou vazio (muito constrangedor!) Confira a lista de convidados para se assegurar de que não esqueceu ninguém importante. Então, imagine como o grupo vai se misturar e interagir e faça os ajustes necessários. Não é bom, por exemplo, ter um solteiro em um grupo de casais, um homem sozinho em um grupo de mulheres ou um fã de esportes no meio de um grupo de admiradores de cinema.

Passo 3 Escolha o clima da festa. O convite estabelece o tom do evento, portanto escolha o tipo que melhor represente a energia da reunião. Sem dúvida um convite impresso enviado pelo correio é o tipo mais agradável de receber. Se for uma reunião mais informal ou se você tiver pouco tempo para planejar, um e-mail ou telefonema é mais que suficiente.

Passo 4 Duas ou três semanas antes da festa (ou mais, se for um casamento ou um evento que exija viagens), mande um convite pessoal a cada convidado. É claro que você pode enviar um convite único para os casais e as famílias. Sua meta é fazer com que os convidados se sintam especiais, portanto, não junte todo mundo em um e-mail coletivo; essa é a maneira mais eficaz de fazer todos se sentirem desvalorizados. Lembre-se de dizer aos convidados quem está dando a festa, em que local, a partir de que horas e, se quiser, até que horas. Se necessário, prepare um mapa. E determine até que data você quer receber a resposta ao convite (afirmativa ou negativa). Em geral, uma semana é o tempo necessário para que você possa planejar corretamente.

Mais Dicas Úteis

- Quando fizer a lista de convidados, conte com uma taxa de aceitação de 75 por cento.
- A menos que se trate de uma ocasião muito formal, não tenha medo de personalizar os convites. Faça uma anotação rápida como: "Vou adorar vê-lo!", "Estou com saudade!" ou "Espero que você venha!".

Festeje

"Em um jantar, quanto mais simples for o cardápio, mais tranquila será a refeição."

— GRACE FORTUNATO

Como promover um jantar a muitas mãos

Passo 1   Faça uma lista de convidados em função do número de lugares que você consegue ter em torno de sua mesa de jantar (ou na sala e na cozinha, se for um jantar informal) sem perder o conforto.

Passo 2   Escolha um tema para a noite (comida italiana, indiana, regional, tropical, etc.). Embora você não deva impor o que gostaria que cada convidado trouxesse, um pouco de orientação costuma agradar. Além de facilitar para seus amigos a escolha da receita, também ajuda a evitar combinações desagradáveis — como sushi com fondue — além de prevenir dores de barriga.

Passo 3   Defina a quantidade de pratos de seu jantar. Será preciso no mínimo um prato principal (que é tarefa sua), um acompanhamento, uma salada e uma sobremesa. Também será ótimo ter uns tira-gostos e um vinho.

Passo 4   Faça um convite individual para cada um dos convidados, em pessoa ou por telefone. Assim que souber se eles poderão comparecer, dê-lhes o tema gastronômico da refeição e peça-lhes para trazer os tira-gostos, a salada, a guarnição ou a sobremesa. Os convidados sem talento para a culinária ou sem tempo poderão levar vinho, pão ou uma tábua de queijos. Não se esqueça de conferir antecipadamente se alguém é vegetariano ou tem alguma alergia alimentar.

Passo 5   Antes que os convidados cheguem, prepare o prato principal, arrume a mesa e libere espaço na bancada ou no forno para os pratos deles. Organize um bar com gelo, saca-rolhas e as bebidas que você estiver providenciando. Também tenha à mão travessas extras, colheres, pinças e espátulas para servir. Coloque uma música, distribua flores em alguns vasos e acenda algumas velas.

Passo 6   Quando os amigos chegarem, abrace-os e beije-os, pergunte que delícia eles trouxeram, se será necessária mais alguma preparação e qual. Então apresente-os aos outros convidados e mostre-lhes onde fica o bar.

Passo 7   Sente-se, coma, beba e fique feliz!

Passo 8   Dê uma fugidinha até a cozinha e lave as travessas dos convidados para poder devolvê-las no final da noite. Se houver sobras de comida, ofereça-as a quem preparou o prato. Com frequência eles deixarão que você fique com elas, mas você não deve partir do princípio de que são suas.

Mais Dicas Úteis

- Providencie um rolo de fita-crepe e uma caneta para marcar cada travessa com o nome de seu proprietário, de modo a saber o que devolver a quem.
- Embora você possa contar com os convidados para trazer o vinho, não deixe de ter uma ou duas garrafas para dar o pontapé inicial na festa. Você não vai querer que os convidados fiquem com sede, principalmente se o encarregado do vinho se atrasar. Além disso, alguns convidados podem ser abstêmios, portanto tenha algumas bebidas não alcoólicas para eles.
- Se for receber no máximo três convidados, prepare o prato principal e só permita que os outros tragam vinho ou a sobremesa. Um jantar em que cada um traz um prato geralmente só funciona com grupos maiores e parece mesquinharia quando o grupo é pequeno.

Seja sociável

"Quando tenho convidados em casa, para mim eles são as melhores pessoas do mundo."

— Sue Westheimer Ransohoff

Como apresentar pessoas

Passo 1 Veja quem tem uma posição social ou um nível de autoridade mais elevado. Você só tem um segundo para decidir, portanto não perca tempo. Por exemplo, seu patrão ganha do seu amigo; seu namorado ganha do seu vizinho. Na dúvida, priorize o mais velho.

Passo 2 Dirija-se à pessoa mais importante e apresente a ela a menos importante. Inclua qualquer informação relevante: "Sra. Primeira-dama, peço permissão para lhe apresentar June Cleaver, minha vizinha." Você também pode substituir a fórmula "Peço permissão para apresentar" por "A senhora conhece?". Em ocasiões menos formais, fique à vontade para simplesmente dizer os nomes das duas pessoas: "Laverne DeFazzio, Shirley Feeney."

Passo 3 Está feito! Não há necessidade de fazer a apresentação inversa ou de repetir os nomes. Os envolvidos já sabem tudo o que é necessário.

Mais Dicas Úteis

- Se estiver apresentando uma pessoa a um grupo, dirija-se a quem estiver mais perto de você e apresente-lhe a recém-chegada: "Barb, essa é minha colega Nicki." Em seguida, desloque-se pelo grupo, dizendo o nome de cada um de seus membros.
- **Não seja autoritária.** Evite declarações como "Você precisa conhecer..." ou "Aperte a mão de..." Ninguém gosta de receber ordens.
- Depois das apresentações, se ficar um silêncio desconfortável, ajude seus amigos dizendo a eles o que eles têm em comum, mas de uma forma elogiosa. Em vez de dizer: "Jô, você conhece a Ana? Acho que vocês duas têm hemorroidas", diga "Jô, você conhece a Ana? Vocês estudaram na mesma faculdade."

Manifeste gratidão

> *"Mandar um cartão é uma forma gentil de agradecer e deixa as pessoas felizes. Podemos fazer alguma coisa só para deixar alguém se sentindo bem."*
>
> — Ruth Rowen

Como escrever um bilhete de agradecimento

Passo 1   Consiga um cartão bonito ou faça um. Pegue uma caneta. Bilhetes de agradecimento sempre devem ser escritos à mão. É mais pessoal.

Passo 2   Dirija-se ao destinatário pelo nome: "Querida Marina."

Passo 3   Agradeça o presente, a ajuda, o que for. Comece a frase com: "Muito obrigada por..." ou "Estou muito agradecida por..."

Passo 4   Diga em palavras simples por que o presente ou o gesto a comoveu. Quando se tratar de um presente que você ainda não usou, diga o que pretende fazer com ele no futuro. Escreva algo como: "Sua torta de nozes estava deliciosa. Era exatamente o que eu precisava depois de um dia difícil" ou "Estou pensando em usar o dinheiro no próximo verão para realizar meu eterno sonho de conhecer Paris."

Passo 5 Manifeste sua gratidão com quem lhe deu o presente. Afinal, a presença dele em sua vida é mais importante que os presentes, certo? Experimente dizer: "Você é sempre tão cheia de consideração" ou "Fico muito feliz por ter uma amiga tão generosa".

Passo 6 Despeça-se. Experimente dizer "com amor", "carinhosamente" ou "calorosamente", seguido de seu nome.

Passo 7 Feche o envelope, enderece-o, cole o selo e envie-o!

Mais Dicas Úteis

- Seja sucinta. Algumas frases calorosas são suficientes.
- Não use uma linguagem pretensiosa. Escreva como fala, para que a destinatária não fique achando que você foi abduzida por extraterrestres.
- Seja rápida. Quanto mais cedo você mandar o cartão, mais significativo ele será.

Dê boas gargalhadas

"*Nós dávamos festas. Simplesmente abríamos a casa e as pessoas chegavam. Nós cantávamos, dançávamos, bebíamos e cantávamos mais um pouco. Era muito bom.*"

— Nikki Spanof Chrisanthon

Como brincar de mímica

Passo 1 Divida os jogadores em dois grupos iguais, com pelo menos dois membros; pegue papel, alguns lápis, dois chapéus (ou tigelas, ou cestas), um bloco de notas e um cronômetro. Escolha um cronometrista neutro ou organize um revezamento na cronometragem.

Passo 2 Peça a cada jogador para escrever uma frase num pedaço de papel. Se o número de jogadores for muito grande, as equipes podem produzir coletivamente umas cinco frases. Depois da escolha das frases, dobre os papéis e coloque-os no chapéu da própria equipe. Se quiser, vocês podem aprovar previamente algumas categorias, como pessoas famosas, músicas, citações, peças teatrais, filmes ou livros.

Passo 3 Decida qual time irá começar disputando no cara ou coroa, na queda de braço ou, se for esse tipo de festa, com uma luta na lama. Então escolha um participante do time vencedor para tirar uma frase do chapéu da outra equipe. Shh, não diga a frase! Dê ao jogador alguns segundos para pensar e depois diga "já!" e ligue o cronômetro. Marque um máximo de 3 minutos por frase.

Passo 4 Sem dizer uma palavra, o jogador deve fazer uma mímica da frase sorteada até que os colegas de equipe adivinhem o que está sendo representado. (O outro time precisa ficar em silêncio durante essa fase de adivinhação, a não ser pelas risadas.)

Passo 5 Se a equipe gritar corretamente a frase, bata palmas e depois escreva quanto tempo eles levaram para adivinhar. Se os 3 minutos se passarem sem um resultado, lamente e anote para a equipe a pontuação de 3 minutos. As equipes e os atores devem se revezar até que todas as frases tenham sido representadas ou os participantes estejam cansados ou bêbados demais para continuar. Ganha quem tiver menos pontos.

Mais Dicas Úteis

- Quando escolher frases, evite as difíceis demais ou muito longas, para que o jogo não acabe causando sono.
- Não é preciso representar as palavras em ordem. A melhor estratégia geralmente é representar a categoria da frase (filme, livro etc.), o número de palavras na frase, a posição da palavra que se está representando, o comprimento da palavra e finalmente o número de sílabas. Comece pela palavra mais fácil e prossiga daí.
- Para indicar a categoria, use o seguinte código universal de gestos:

Um livro: Junte as mãos como se fosse rezar, mas com os dedos apontando para fora e depois afaste as mãos.

Um filme: Finja operar uma filmadora antiga, formando um O com uma das mãos em frente ao olho (a lente) e girando a outra mão ao lado da orelha.

Uma peça: Dobre um joelho, coloque uma das mãos no peito e estenda a outra mão para o lado.

Uma música: Finja que está cantando.

Um programa de televisão: Desenhe um quadrado com dois dedos.

Uma citação: Faça o sinal de aspas com os dedos.

Uma personalidade famosa: Faça uma boa representação de Napoleão, estufando o peito e fingindo colocar a mão dentro da blusa.

- Use os seguintes gestos para descrever as palavras:

  O número de palavras na frase: Mostre o número correspondente de dedos.

  A posição da palavra que você vai representar: Mais uma vez, mostre o número correspondente de dedos.

  O número de sílabas na palavra: Bata o número correspondente de dedos no braço.

  A sílaba que está representando: Mais uma vez, bata o número correspondente de dedos no braço.

  O comprimento da palavra: Junte o polegar e o indicador e separe-os pouco ou muito.

- Use os seguintes gestos para orientar a equipe na adivinhação:

  O palpite correto: Aponte um indicador para o nariz e o outro para o participante que acertou.

Está quente: Enxugue o suor da testa.

Está esfriando: Segure os braços sobre o peito e finja tremer.

O som é parecido: Coloque as mãos em concha atrás das orelhas.

Plural: Junte os dedos mindinhos.

Verbo no passado: Acene com a mão por cima do ombro.

Solte a voz

"Sempre cantávamos ao som do piano. A melhor maneira de cantar é em grupo. Fique ao lado de alguém que conheça a música e não terá problema."

— Lucile Frisbee

Como cantar em harmonia

Passo 1 Reúna alguns amigos condescendentes, nada críticos. Cantar em harmonia pede prática e com certeza você vai arranhar a marcha algumas vezes até dominar a técnica.

Passo 2 Escolha uma música fácil que todos queiram cantar e que esteja num tom maior. (Se for uma música alegre, provavelmente estará num tom maior. As músicas tristes geralmente estão na escala menor.) Quanto mais complicada for a música, mais difícil será a harmonia, portanto escolha uma canção que exija pouca amplitude vocal e não peça vocalização. A canção "Row, Row, Row Your Boat"* pode ser boa para começar, pois as três primeiras notas são iguais.

---

* Canção do programa de TV Vila Sésamo com estes versos iniciais: "Rema, rema, rema / com tua barca / ao amanhecer / alegre, alegre, alegre, / a vida é um prazer." (*N. da E.*)

Passo 3   Memorizem a canção. Cantem juntos em uníssono até aprender a cantar corretamente todas as notas.

Passo 4   Identifique a raiz de seu acorde. Encontre a primeira nota da melodia em um diapasão, piano ou violão e fale em voz alta o nome da nota — dó, ré, mi, fá, sol, lá, si.

Passo 5   Identifique a terça. Começando pela raiz, conte duas notas acima na escala. Dessa forma, se a raiz for dó, a terça será mi. Se a raiz for fá, a terça será lá. Se for sol, a terça será um si, e assim por diante. Use o diapasão (ou o piano, ou o violão) para tocar a terça, respire profundamente e vocalize essa nota.

Passo 6   Repita os passos 4 e 5 até ter identificado a harmonia de toda a música. Ou, se isso for muito trabalhoso, limite-se a escolher algumas notas da canção que gostaria de cantar em harmonia e cante em uníssono o resto do música.

Passo 7   Agora vem a parte divertida: cantar a canção em coro desde o início. Toque no instrumento que estiver usando para acompanhamento a primeira nota da melodia e depois a harmonia, faça todos reproduzirem esses sons com suas vozes e comecem a canção.

Passo 8   Continuem a praticar e divirtam-se! Vai ficar mais fácil e mais intuitivo a cada nota cantada. Dentro de pouco tempo, você deixará seus amigos impressionados.

Mais Dicas Úteis

- Respire fundo e cante com energia. É mais difícil harmonizar quando se canta muito baixo.

- Você saberá que está cantando a nota certa quando sentir uma vibração maravilhosa. Isso se chama ressonância.
- Para criar uma harmonia a três vozes, encontre a raiz e cante a terceira e a quinta nota da escala. Se a raiz for dó, a harmonia será com mi e sol.
- Quando em dúvida, tampe um ouvido com o dedo. Isso a ajudará a ouvir o que está cantando e também fará você parecer a Mariah Carey. Fantástico!

Tire a carta da manga

"Quando eu era garota, nós convidávamos alguns amigos, preparávamos duas ou três mesas e jogávamos em cada mesa um jogo de cartas diferente, como Mico Preto ou Oito Maluco. Cada um avançava de uma mesa para a próxima. Era uma reunião muito legal."

— ALICE LOFT

Como jogar oito maluco

Passo 1   Se houver dois jogadores, distribua sete cartas para cada jogador; se houver três ou mais jogadores, distribua cinco cartas para cada um. Coloque no centro da mesa o restante do baralho com as cartas voltadas para baixo, para formar o monte. Vire a primeira carta e coloque-a ao lado do monte.

Passo 2   O jogador à esquerda de quem deu as cartas é o primeiro a jogar. Imaginemos que seja você. Você tem três opções: (1) Se tiver em sua mão uma carta do mesmo naipe ou do mesmo número da carta que está aberta no monte, baixe essa carta aberta em cima da carta do monte. Sua jogada estará completa! (2) Se tiver um oito, sorte sua! Baixe o oito e escolha o naipe que o próximo jogador terá que baixar. (3) Se não tiver uma carta do mesmo naipe, do mesmo número ou um oito, dê um gemido e comece a comprar cartas do monte até encontrar alguma que possa baixar.

Passo 3   O jogo avança no sentido horário. O primeiro a ficar sem cartas, ganha!

Mais Dicas Úteis

- Procure guardar de cabeça as cartas que já saíram para que, ao jogar um oito, você possa pedir um naipe que seu vizinho não tenha.
- Se quiser contar pontos, some as cartas restantes na mão dos perdedores em cada rodada. Cada carta numerada vale o próprio número, exceto o oito, que vale 50 pontos. Os ases valem um ponto e cada figura vale 10 pontos. O vencedor ganha todos os pontos somados na rodada. Um jogo com dois jogadores termina quando o vencedor conseguir 100 pontos. Um jogo com três jogadores termina quando o vencedor alcançar 150 pontos, e assim por diante.

É preciso dançar

"Para dançar bem, só é preciso dançar."
— Lucile Frisbee

Como dançar uma valsa básica

Passo 1   Segure, com a mão direita, a mão esquerda do parceiro e apoie a mão esquerda no ombro dele; posicione os cotovelos para fora e os braços paralelos ao chão. Comece a contar (em silêncio e de preferência sem mover os lábios, o que não é fácil) 1-2-3, 1-2-3, 1-2-3. Comece em câmera lenta até pegar o jeito.

Passo 2   Ao contar um, leve o pé direito para trás uns 30cm, baixando primeiro a ponta do pé e depois o calcanhar.

Passo 3   Ao contar dois, deslize o pé esquerdo para trás e para a esquerda, pisando somente com a ponta do pé.

Passo 4   Ao contar três, deslize o pé direito para a esquerda, pisando primeiro com a ponta do pé e depois baixando os dois calcanhares.

Passo 5 Recomece a contagem. Ao contar um, avance o pé esquerdo uns 30cm para a frente, apoiando o calcanhar e depois a ponta do pé.

Passo 6 Ao contar dois, avance o pé direito para a frente e para a direita, apoiando só a ponta do pé.

Passo 7 Ao contar três, deslize o pé esquerdo para a direita, pisando primeiro com a ponta e depois baixando os calcanhares. Repita a sequência até que a música termine ou seus cachorros comecem a latir.

Mais Dicas Úteis

- Estique as costas, jogue os ombros para trás e procure olhar para os olhos do parceiro e não para os próprios pés.
- Para lembrar os movimentos, em vez de contar números, pense: "Para trás, para o lado, juntar. Para a frente, para o lado, juntar."
- Não se preocupe se pisar em alguns pés ou esbarrar em outros dançarinos. Vá para a pista de dança ou para a pista improvisada e divirta-se. Se você estiver feliz e se divertir, o resto não tem importância.

Agradecimentos

Tive muita ajuda para escrever este livro, portanto há muito o que agradecer do fundo do coração:

A todas as avós especiais que me brindaram com suas histórias e sua sabedoria. Sinto-me honrada por conhecê-las. Em especial: Elouise Bruce, de Cleveland, Mississippi, me mostrou que a riqueza da vida não tem nada a ver com o saldo bancário; Nikki Spanof Chrisanthon, uma das melhores dançarinas que já vi; Jean Dinsmore, de Spokane, Washington, me fez recordar o prazer de comer um pão feito em casa; Grace Fortunato me mostrou que na vida o que vale é o amor e não as propriedades; Lucile Frisbee, de Delhi, Nova York, me recebeu em sua casa, serviu chá em xícaras de porcelana e me deu de presente uma jarra de sua própria calda de bordo; Mildred Kalish, de Cupertino, na Califórnia, me inspirou com seu livro e compartilhou segredos para fazer um suculento frango assado; Alice Loft, de Tacoma, Washington, me ensinou a acender o fogo e aqueceu meu coração; Beatrice Neidorf, de Washington, D.C., me mostrou que não é preciso ter medo de massa de torta; Sue Westheimer Ransohoff, de Cincinnati, Ohio, me ensinou o valor da generosidade; e Ruth Rowen me acolheu em sua casa para compartilhar histórias e bolinhos de chocolate. Muito obrigada.

A minha fantástica editora, Jill Schwartzman. Você arrasa! E a todos os meus novos amigos na Random House, incluindo Jane von Mehren, Kim Hovey, Anne Watters, Kathleen McAuliffe, Theresa Zoro, Katie Rudkin, Rachel Bernstein e Lea Beresford. Obrigada a todas pelo trabalho árduo e pelas boas ideias.

A todos os especialistas modernos em meu bairro e além, que me orientaram com as dicas mais técnicas, em especial: a chef Karen Bornarth, instrutora de panificação no French Culinary Institute, em Nova York; as designers Patti Gilstrap e Seryn Potter, proprietárias da escola de costura Home Ec, no Brooklyn; o chef Juventino Avila, dono do Get Fresh Table and Market, no Brooklyn; o cervejeiro Shane C. Welch, dono do Sixpoint Craft Ales, no Brooklyn; o fabricante de facas Joel Bukiewicz, dono da Cut Brooklyn; o mago do dinheiro Jonathan F. Walsh, um perito em contabilidade de Nova York; o fazendeiro Benjamin Shute, um dos proprietários da fazenda Hearty Roots Community Farm, em Tivoli, Nova York; a professora de música Alicia Mathewson, do Sounding Still Center of Love, em Barnstable, Massachusetts; e os enólogos Don e Rosalind Heinert, proprietários da Blueberry Sky Farm Winery, em North East, Pensilvânia.

Para Lucy Danziger e todos os meus amigos na *Self*, por criarem uma revista da qual me orgulho.

A meus pais, Bill e Claire, que me ensinaram a amarrar cadarços e assar tortas, e a meus sogros, Norm e Shirley, que me ensinaram a pescar e preparar um peixe.

A Holly Bemiss, minha agente literária e meu anjo, por acreditar em mim, me apoiar e melhorar minha vida a cada dia.